G000153647

Sie passen nicht zusammen. Zum Glück. Er ist Prominentenanwalt in Berlin, sie hat ein Café in Hamburg. Er lenkt sich von unerwünschten Gefühlen ab. Sie kostet sie aus. Er liebt seine Möbel. Sie liebt ihre Probleme. Sie lieben sich – bis zu diesem verdammten Samstagmorgen ...

Sie haut ab. Setzt sich ins Auto mit gebrochenem Herzen.

Sie will Rache.

Vielleicht auch Sex.

Und außerdem wird sie morgen 32.

«Der neue Roman der Bestsellerautorin ist Balsam für Frauenseelen. Gewürzt mit viel Witz und einer großen Portion Wahrheit.» *Freundin*

«Superwitzig und total spannend.» *Bild der Frau*

«Mit ihren Romanen trifft Ildikó von Kürthy den Nerv von Hunderttausenden von Frauen.» *Der Tagespiegel*

Ildikó von Kürthy

Herzsprung

Roman

Fotos von Kristin Schnell

Rowohlt Taschenbuch Verlag

Veröffentlicht im Rowohlt Taschenbuch Verlag GmbH,
Reinbek bei Hamburg, Dezember 2002
Copyright © 2001 by Rowohlt Verlag GmbH,
Reinbek bei Hamburg
Umschlaggestaltung any.way, Wiebke Buckow
(Foto: Tony Stone Images / Tony Garcia)
Fotos im Innenteil © 2001 by Kristin Schnell
Gesamtherstellung Clausen & Bosse, Leck
Printed in Germany
ISBN 3 499 23287 1

Die Schreibweise entspricht den Regeln
der neuen Rechtschreibung.

Für Susanne – mein liebes Bisschen,
für David (Scheff)
und für meinen Frisör («Schätzchen,
du siehst verheerend aus!»)

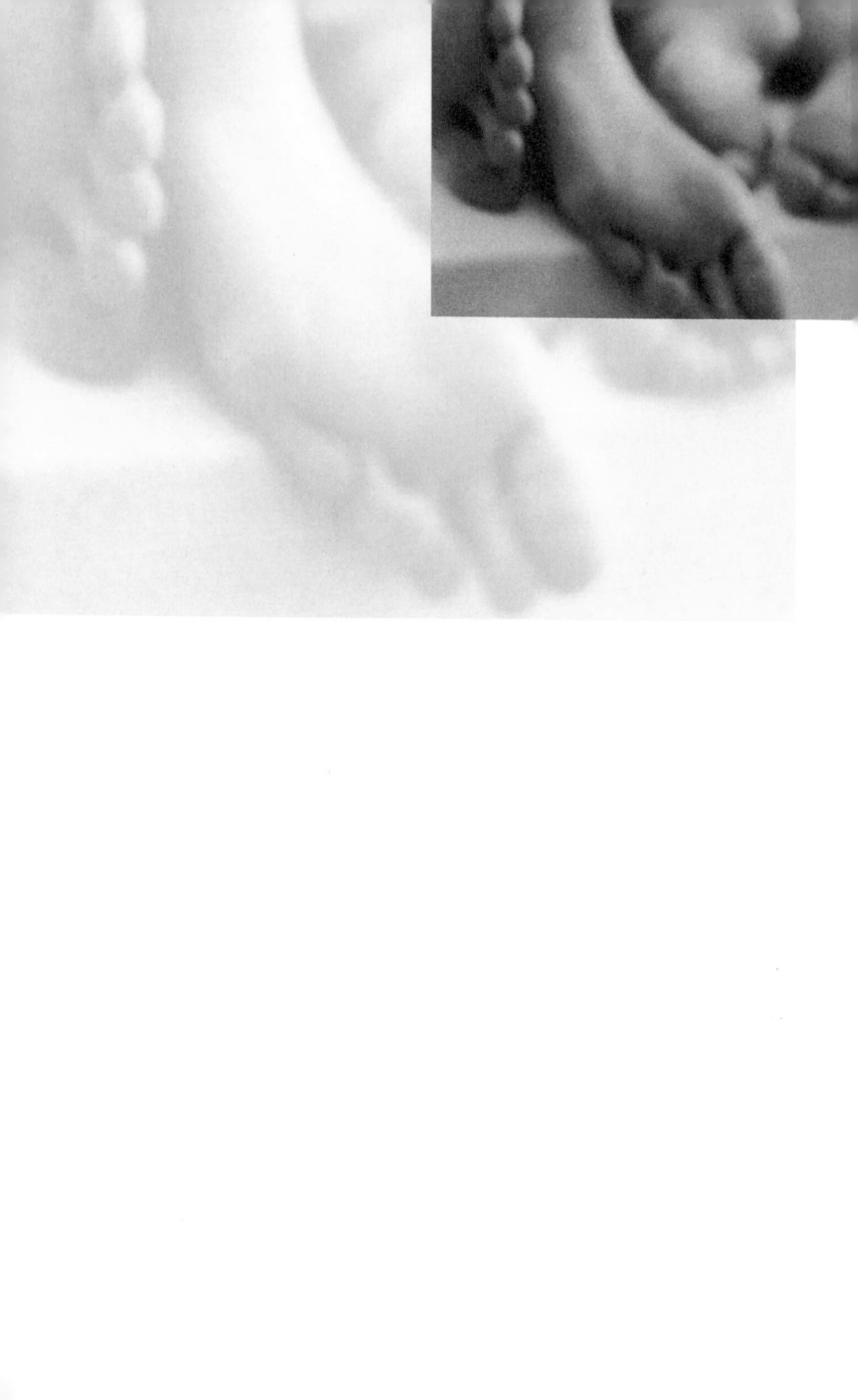

Samstag, 5:30

Ich habe einen schlechten Charakter und eine gute Figur. Und wie jeden Morgen, kurz bevor ich die Augen öffne, danke ich dem Schicksal dafür, dass ich so bin, wie ich bin. Und wie jeden Morgen freue ich mich über meine diversen Vorzüge.

Ich kann gut einparken, und noch besser kann ich «Nein» sagen. Erst gestern habe ich ein lästiges, übergewichtiges Frauenzimmer niedergeschlagen, das sich an der Käsetheke zwischen mich und meinen Gouda light drängelte. Ich meine, sie war wirklich nicht an der Reihe. Und ich, ich bin wirklich nicht zu übersehen.

Zurzeit bin ich dabei, mich von meinem Liebhaber zu trennen. Er langweilt mich mit seinem ewigen Gefasel von Hollywood, wo er gerade seinen ersten Kinofilm dreht. Ich mag es nicht, wenn Männer ständig über sich reden. Wann soll ich denn dann über mich reden?

Nein, ich habe nie zu den Primeln gehört, die glauben, man wird bewundert, wenn man bloß genug bewundert. Mit großen Augen hochgucken. «Aah!», und «Oooh!», rufen, als würde man gerade Zeuge des Olympiade-Eröffnungs-Feuerwerks. Pah. Ich bin nur ein Meter sechzig groß, aber ich schaue schon lange zu keinem mehr hoch. Jeder ist so groß, wie er sich fühlt. Und man fühlt sich größer, wenn man runterguckt. Männer lieben dich, wenn du sie erniedrigst. Frag mich nicht, warum. Es ist so.

Mein Liebhaber zum Beispiel – ich möchte seinen Namen nicht nennen, denn er ist sehr bekannt, sehr reich und natürlich sehr verheiratet – hat die Dreharbeiten mit Winona Ryder unterbrochen, als ich ihm vergangene Woche am Telefon andeutete, dass er mir nichts Schlimmeres antun könne, als sich von seiner Frau zu trennen. Und was hab ich davon? Winona tobt vor Wut am Set. Mein Liebhaber droht mir mit Scheidung – von seiner Frau. Und ich bin guter Dinge, weil mir der zauberhafte Chopard-Ring hervorragend steht. Ich habe nie eingesehen, warum ich nach einer Affäre nicht reicher sein sollte als vorher – und zwar nicht nur reicher an Erfahrung. Daher bevorzuge ich Trennungen kurz nach Weihnachten oder Geburtstagen.

Ich selbst mache grundsätzlich keine Geschenke. Früher hatte ich Freundinnen, die bastelten ihren Männern Adventskalender. Vierundzwanzig kleine Säckchen mit vierundzwanzig kleinen Sächelchen drin. Uuuh, das macht klein! Heute habe ich keine Freundinnen mehr.

Ich schenke nicht, ich koche nicht, und ich entschuldige mich nie. Frauen haben Angst vor mir. Weil ich ihre Männer haben könnte, wenn ich bloß wollte. Dabei könnten die alle beruhigt in ihre Puschen schlüpfen, «Wetten dass ...?» gucken und viele Zwiebelringe essen. Ich will keinen von deren Männern.

Ich habe einen schlechten Charakter und eine gute Figur ... Es ist kurz nach halb sechs ... Es ist Samstagmorgen ... Es war nur ein Traum ... Nur ein Traum ...

5:35

Manchmal, wenn ich aufwache, so wie jetzt, dann fühle ich mich gestärkt durch einen Traum. Ich kann mich nicht genau erinnern, aber es bleibt das Gefühl eines guten Gefühls. Wie soll ich sagen? Ich mache die Augen auf und weiß genau, wer ich bin. Aber ich weiß auch genau, wer ich sein könnte.

Ich habe einen guten Charakter und eine schlechte Figur. Aber ich schwöre bei allem, was mir heilig ist – bei meiner Shiseido-Gesichtsbürste, bei meiner Oma Amelie Tschuppik und bei meiner Whitney-Houston-Doppel-CD – ich werde mich ändern. Ja, ich werde mich ändern. Mit einem guten Charakter muss man sich heutzutage genauso wenig abfinden wie mit übergewichtigen Oberschenkeln. Alles eine Frage der Disziplin.

Draußen wird es langsam hell. Ich liebe es, im Sommer zusammen mit dem Tag aufzuwachen. Das ist die Zeit, in der Träume am besten gedeihen. Ein paar frühe Vögel beginnen sich verhalten zu unterhalten, die Kommode vor dem Bett nimmt langsam Formen an, die Bettwäsche wird allmählich wieder farbig. Rosa und hellgrau, Blumen an den Rändern.

In den wenigen Minuten zwischen Nacht und Tag habe ich manchmal das Gefühl, ich könnte mich neu entscheiden. Könnte geräuschlos aufstehen, könnte geräuschlos mein Leben verlassen und geräuschlos ein anderes betreten.

Es gibt nur zwei Gelegenheiten, bei denen ich mich ähnlich schwerelos fühle, versucht, etwas völlig Neues zu beginnen. Wenn Audrey Hepburn in «Frühstück bei Tiffany» auf der Fensterbank sitzt und «Moon River» singt:

There's such a lot of world to see,

dann bekommt die Sehnsucht ein Gesicht. In New York mit einer Gitarre auf einer Fensterbank schlank sein, sich nicht um die Beschwerden des Nachbarn scheren: «Miss Golightly!» Eine Katze und den falschen Mann lieben und singen können. Ja, das.

Oder: Mit dem Auto fahren. Auf einer schnurgeraden Straße. Allein. Wie Thelma und Louise. Bloß ohne Louise.

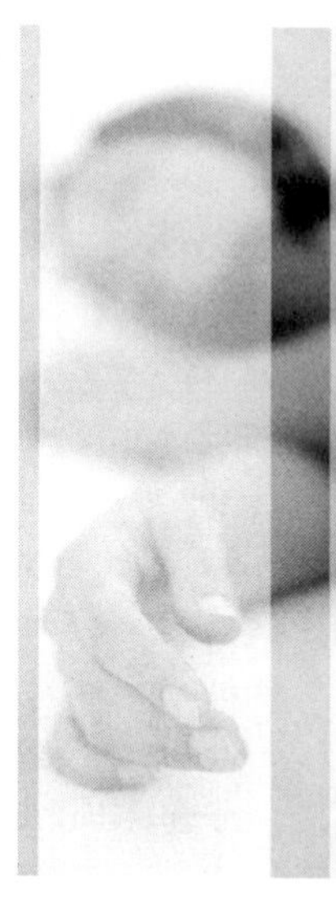

Ich bin eine sehr gute Autofahrerin. Das unterscheidet mich von den meisten anderen Frauen. Sonst unterscheidet mich leider nichts von den meisten anderen Frauen. Ich entschuldige mich oft, wobei ich nicht sicher bin, ob ich überhaupt schuld habe. Ich hadere häufig mit meiner Frisur, mit meinen brüchigen Fingernägeln und mit meinem Körperfettanteil. Ich hole zehn Fremdmeinungen ein, bevor ich meine eigene Meinung beschließe, und ich halte jeden Tag für einen guten Tag, an dem ich dreihundert Gramm weniger wiege als am Abend zuvor.

Aber, Schwestern, die ihr mit fünfzehn Kilometern pro Stunde auf jede Kreuzung zukriecht, die ihr das Lenkrad umkrampft wie ein erschossener Cowboy seinen Colt und auf der Landstraße dreißig Minuten hinter einem Trecker herfahrt aus Angst zu überholen: ICH KANN GUT AUTO FAHREN. Und nicht nur das: Ich kann sogar gut einparken.

Auto fahren ist Freiheit. Ich kann jederzeit abbiegen. Wenn ich einen Wegweiser sehe, auf dem «Quakenbrück» steht, dann kann ich beschließen, dass ich in «Quakenbrück» mein Glück finden werde. Dann blinke ich, nehme die Ausfahrt und beginne ein neues Leben. So einfach ist das. In meinen Träumen.

Es ist Samstagmorgen. Es ist kurz nach halb sechs. Ich heiße Amelie «Puppe» Sturm, ich werde morgen zweiunddreißig Jahre alt und nicht mehr ganz die Alte sein – und das ist auch das Einzige, was ich im Moment mit Sicherheit über mich sagen kann.

Denn ich werde mein Leben ändern, bevor diese verdammte Kommode Formen annimmt und meine Bettwäsche wieder Farben hat. Nichts wird sein, wie es war. Ich werde mein Leben entrümpeln und meine Gewohnheiten ablegen. Werde leichten Herzens von allem Abschied nehmen – abgesehen natürlich von meinem Friseur Burgi, meiner liebsten Freundin Ibo, meinem Hund Marple und meinem Sixtuwohl-Fußspray. Eine Frau in meinem Alter muss wissen, was sie auf ihre Reise ins neue Leben mitnimmt und was sie zurücklässt. Eines jedenfalls brauche ich ganz bestimmt nicht mehr ...

Ich drehe mich um:

Philipp von Bülow sieht immer so aus, als rechne er damit, gleich fotografiert zu werden. Sogar wenn er schläft, könnte man meinen, er würde nur so tun, als ob er schläft, um möglichst überzeugend und gut auszusehen.

Ich bin sicher, sollte Philipp jemals Gast im «Big Brother»-Container sein, er würde sich lieber drei Monate lang am Einschlafen hindern, als sich einmal von der Nation beim Schnarchen zuhören zu lassen.

Philipp riecht immer gut. Er rülpst grundsätzlich nicht und er stößt auch nie auf – keine Ahnung, wo er das Zeug lässt. Kein Pickel verirrt sich je in sein Gesicht, und sein dunkelblondes Haar ist an den Schläfen von jenem silbrigen Grau durchwirkt, welches schon Richard Gere zu einem ernst zu nehmenden Mann machte und auf Cindy Crawford einen intensiven, wenn auch nicht lang anhaltenden Eindruck machte.

Dankbar bin ich für die wenigen Momente, in denen Philipp von Bülow so aussieht, als sei er ein ganz normaler Mensch.

Jetzt zum Beispiel: leichtes, asthmatisches Röcheln. Jedes Ausatmen erinnert geruchsmäßig an die letzte Nacht, erzählt von etlichen Cohiba-Zigarillos, noch mehr Wodka-Tonics und einem Absacker-Grappa. Philipps Mund steht halb offen und ein Mundwinkel zeigt schräg nach unten. Wie eine Tür, die schief in den Angeln hängt. Philipp von Bülow sieht in solchen Momenten aus, als hätte er nicht mehr alle Tassen im Schrank. Das sind die Momente, in denen ich ihn am allermeisten liebe.

Das Unperfekte rührt mich. Die blasse Haut. Die verklebten Haare. Ich schaue ihn an und weiß, dass er sich schämen würde, wenn er sich und mich jetzt so sehen könnte. Selten bin ich ihm näher, als wenn er so schläft wie jetzt. Als würde ich endlich sein wahres Gesicht sehen. Ich will ihm sanft die Augenbrauen mit den Fingerspitzen nachzeichnen und seine schmalen Lippen umküssen.

Mir ist übrigens aufgefallen, dass die guten, interessanten, schwierigen Männer, die den Frauen niveauvoll wehtun können, immer schmale Lippen haben. Typen mit vollem Mund sehen doch immer leicht so aus, als würden sie mit beliebigen Geliebten ohne mittlere Reife gerne uneheliche Kinder zeugen.

5:37

Philipp schmatzt leise im Schlaf und drückt sich mein Kuschelkissen an die Brust. Es ist ein eigentümliches Phänomen: Da ich leicht friere und sehr anlehnungsbedürftig bin, schlafe ich jede Nacht auf meinem Lammfell ein, mit meinem prall gefüllten Kuschelkissen im Arm. Es geht nicht anders. Selbst übers Wochenende verreise ich stets mit einem sehr großen Koffer, da ich ohne diese Schlafutensilien niemals das Haus verlassen würde.

Doch jeden Morgen, den ich in den vergangenen Jahren neben Philipp von Bülow erwacht bin, liegt er auf meinem Lammfell und hält mein Kuschelkissen so innig umschlungen wie Mel Gibson seinen nach vielen Tagen aus den Fängen des bösen Entführers befreiten Sohn in «Kopfgeld». Keine Ahnung, was nachts in unserem Bett passiert.

Wir sind seit zweieinhalb Jahren ein Paar. Ein Hamburg-Berlin-Paar. Ein Paar der verlängerten Wochenenden. Ein Paar, das jeden Tag dreimal telefoniert und sich die Gute-Nacht-Küsse fernmündlich verabreicht. Wir haben alles doppelt: Zahnbürste, Haarbürste, Nagelschere, Pinzette, Nachtcreme, Tagescreme. In jeder Stadt eine. Bloß mein Kuschelkissen und mein Lammfell schleppe ich ständig hin und her. In jedem Leben muss es Dinge geben, die es nur einmal geben kann. Frage mich, wie Phillip während der Woche schläft, wenn er nachts nicht jemandem etwas wegnehmen kann.

Er schmatzt schon wieder im Schlaf.

Ach, mein Bülowbärchen.

Diesen phantasievollen Kosenamen hatte ich zunächst nur gewählt, um Philipp zu ärgern. Das ist anfangs auch gelungen, weil der Adelige ja nicht gerne seinen Namen zur allgemeinen Belustigung freigibt. Aber wie das so ist. Wenn man sich nur lange genug über etwas ärgert, gewöhnt man sich am Ende daran. Meine Scheibenwischer, um diese Theorie mal zu veranschaulichen, gaben drei Monate lang ein lautes metallisches Klacken von sich, wenn sie ihren Dienst verrichteten. Und da, wo ich lebe, in Hamburg, haben Scheibenwischer viel zu tun. Klacker klock ... Klacker klock ... Bin fast wahnsinnig geworden.

Keiner fand die Ursache. Und dann eines Tages, ohne Grund, ohne Reparatur, funktionierten sie wieder geräuschlos. Und was geschah? Ich konnte diese bedrückende Stille kaum ertragen.

Übrigens, auch das eine eindrucksvolle Bestätigung meiner These, vermisse ich bis heute auch die beiden Zeuginnen Jehovas, die ein Jahr lang jeden Dienstagabend vor meiner Tür standen und mir was vom Paradies erzählen wollten, und dass da gar nicht mehr so viele Plätze drin frei seien. Habe sie immer weggeschickt, jeden Dienstag gegen 19 Uhr 30. Seit sechs Wochen sind sie nicht mehr gekommen, und ich überlege, ob ich in der Jehova-Kundenzeitschrift «Der Wachturm» eine Suchanzeige aufgeben soll. Ja, ich bin sicher, ebenso würde mein Philipp seinen ungeliebten Kosenamen vermissen. Aber das ist vermutlich ziemlich naiv gedacht.

Meine schlechteste Eigenschaft ist: Naivität. Ich meine, ich arbeite daran, aber solche festgetretenen Charakterzüge sind verdammt schwer loszuwerden. Ich geh mir ja selbst damit auf die Nerven, aber ich bin wirklich sehr leicht zu beeindrucken. Rechne immer damit, dass man mir die Wahrheit sagt. Glaube bis heute an die Treue – nicht an meine allerdings, aber das ist ja auch was anderes. Zähle nie das Wechselgeld nach und glaube jedem, der sagt, dass er in seinem Leben noch keine faszinierendere Frau als mich kennen gelernt hat.

Diese Kombination fataler Charakterzüge hat sich im Laufe meines Lebens manches Mal als ungünstig erwiesen. Vier Monate meines Lebens habe ich zum Beispiel mit einem Oberlippenbartträger verplempert, der mich, damals süße siebzehn, auf der Straße ansprach, ob er mich als Model casten dürfe.

«Du wirst das sicher ständig gefragt», sagte er. Und ich glotzte ihn blauäugig an und sagte «Hmpf.» Weil mich das noch überhaupt nie jemand gefragt hatte. Ich strich mir mit einer irrsinnig modelhaften Geste mein Haar aus der Stirn und nölte gelangweilt: «Ach, ich weiß nicht ...»

Was soll ich sagen? Am selben Abend habe ich mit dem Oberlippi geschlafen und tags darauf meinen super-super-netten ersten Freund verlassen. Damals war er nur eine Klasse über mir, aber heute ist er Kinderarzt in München. Siggi, wenn du das liest: Verzeih mir!

Model bin ich nicht geworden. Der Schuft, der mir mein Urvertrauen raubte, war Autoverkäufer, trank Wasser aus Dosen, trug Polyester-Unterhosen und sagte so Sachen wie: «Wenn ich meine Hose aufmache, dann denkst du, die Feuerwehr hätte einen Schlauch liegen lassen.»

Ich schäme mich, dass ich so lange gebraucht habe, diesen Schmutzfink zu durchschauen. Übrigens: er hat mich nach vier Monaten verlassen. Angeblich wegen eines Models.

Naivität und die mangelnde Fähigkeit zu Brutalität haben mich weitere zweieinhalb Jahre gekostet. Das war die Zeit mit Honka. Er hieß eigentlich Rüdiger, aber weil er so wahnsinnig lieb, wohlerzogen und harmlos war, hatten sie ihn schon in der Schule nach dem berühmten Massenmörder getauft.

«Mein Spitzname ist das Schlimmste an mir», hatte sich Honka mir vorgestellt. Hätte ich geahnt, dass das ernst gemeint war, hätte ich mich erst gar nicht auf ihn eingelassen. Aber unsere Begegnung war mir schicksalhaft erschienen: Sein Hund hatte mich angesprungen und vom Fahrrad geworfen, ich hatte mir den Fuß verstaucht, Honka hatte mich ins Krankenhaus gefahren – und war dort ohnmächtig geworden. Ich wollte unbedingt wissen, wie die Geschichte weitergehen würde. Ich war Mitte zwanzig und wusste noch nicht, dass man Männer meiden muss, denen noch nicht mal ihr eigener Hund gehorcht.

Honka war das, was man pflegeleicht nennt. Er zog sich zurück, wenn ich meine Ruhe haben wollte – selbst wenn ich meine Ruhe gar nicht haben wollte, sondern bloß mal gerne von ihm gestört worden wäre. Er tröstete mich, als meine beste Freundin für ein Studienjahr nach Australien ging. Er brachte mich nach Hause, wenn ich auf Partys sturzbetrunken anfing, den Gastgeber zu bepöbeln. Er ertrug es mit stoischer Ruhe, dass ich Cannabis-Pflanzen auf dem Balkon unserer WG züchtete und unseren Nachbarn, einen Polizeihauptwachtmeister, bat, sie zu gießen, während wir im Urlaub waren. Er hielt den Schirm über mich, wenn es regnete. Wenn ich in der Sonne lag, stellte er sich den Wecker, um mich alle fünfundvierzig Minuten umzudrehen und einzucremen. Er machte mir Obstsalat, damit ich genug Vitamine bekam. Wenn ich ihn anschrie, verließ er schweigend den Raum und kam nach einer halben Stunde wieder, um zu fragen, ob ich mich abgeregt hätte und wir jetzt gemeinsam «Tatort» kucken könnten. Er lackierte mir die Fußnägel, massierte mir die Kopfhaut, und, hätten wir geheiratet, er wäre bestimmt bereit gewesen, einen Doppelnamen zu tragen: Rüdiger Meier-Sturm. Bäh!

Ich meine, nichts gegen Männer, die ihren angebeteten Frauen jeden Wunsch von den Augen ablesen. Aber es ist ein schmaler Grat zwischen Mann und Memme. Zwischen Kavalier und Beckenrandschwimmer. Wer will schon einen, der sich alles gefallen lässt? Ich hatte mal einen, nach dem warf ich im Streit eine Flasche Pellegrino. Im Restaurant. Ich verfehlte ihn nur knapp. Er lächelte, ging und war für drei Tage verschwunden. Drei Tage! Als er zurückkam, küsste er mich und sagte: «Schätzchen, ich liebe es, wenn du wütend wirst.»

Das, liebe Freunde, ist männlich. Das macht Eindruck.

Nichts ist schlimmer an einem Mann, als wenn er Frauen versteht. Doch, vielleicht eines: Wenn ein Mann in der Lage ist, seine Gefühle zu zeigen und über sie zu sprechen. Das ist enorm verunsichernd und raubt jeder Beziehung die Basis.

Es ist zwar wahr: Ich kenne keine Frau, die ihren Mann nicht wenigstens zweimal in der Woche anpflaumt, er sei emotional verkümmert und sie wünsche sich nichts sehnlicher, als dass er ihr mitteile, was in ihm vorgehe. Aber wahr ist auch: Es gibt nichts Entwürdigenderes, als wenn Männer mitteilen, was in ihnen vorgeht.

Wer will das wissen, wenn es deinen Liebsten vor unterdrücktem Schluchzen schüttelt, während er sich das Finale von «Dornenvögel» ansieht? Oder wenn er abends unvermittelt den Fernseher ausknipst und sagt: «Ich will jetzt mal ganz offen mit dir über meine inneren Verunsicherungen sprechen.»

Seien wir ehrlich: Emotionen sind Frauensache. Da kennen wir uns besser aus. Das ist unser Revier. Da machen wir einfach die bessere Performance: hysterische Anfälle, mit zerbrechlichen Gegenständen werfen, Heul- und Lachkrämpfe, aus Beziehungsratgebern zitieren und in der Badewanne weinend Randy Crawford hören – irgendein Grund findet sich immer.

Das einzige Gefühl, das Männer offen zeigen dürfen, ist ihre Liebe zu uns. Und den blanken Hass, wenn eine weibliche Schnecke im Fiat Punto direkt vor ihnen sicherheitshalber schon mal bei Grün bremst. Weil auf Grün folgt ja bekanntlich manchmal ganz, ganz plötzlich Gelb – und die siebenundsechzig Fahrstunden sollen ja nicht umsonst gewesen sein.

Aber zurück zu Honka. Dieser Mann war so unangreifbar, so perfekt, so irrsinnig langweilig, so gar nicht schwierig, so waaaahnsinnig lieb, dass ich es zweieinhalb Jahre nicht übers Herz gebracht habe, mich von ihm zu trennen.

Zweieinhalb Jahre habe ich mich nicht getraut, ihm zu sagen, dass ich ihn nicht liebe, weil ich fürchtete, er könne das persönlich nehmen. Für eine Trennung fiel mir einfach kein triftiger Grund ein.

Ich hielt aus und betrog ihn ab und zu mit irgendwelchen gepiercten DJs und leicht verführbaren Volleyballern, um meinen Kindern und Kindeskindern später mal wenigstens ein bisschen was von einer wilden Jugend erzählen zu können.

Es kam, wie es kommen musste. Honka verließ mich. Er war beim Joggen mit einer stämmigen Apothekenhelferin zusammengeprallt, hatte sich dabei die Schulter ausgekugelt, und von da an hatte dieses Berserker-Weib alles in die Hand genommen. Ist ja auch total einleuchtend: Weichei braucht Hartei. Frauenversteher braucht Hausmeisterin. Eine männliche Memme braucht einen weiblichen Chef.

Dennoch, es traf mich aus heiterem Himmel, als Honka eines

Abends, kurz vor den «Tagesthemen», meine Hand nahm und um ein Gespräch bat.

«Ach du liebes bisschen», dachte ich zunächst gelangweilt, «was hat er denn jetzt schon wieder?» Kurz befürchtete ich einen Heiratsantrag. Oder wollte er mit mir besprechen, was wir meinen Eltern zu Weihnachten schenken? Ich ging jedenfalls innerlich in Abwehrhaltung und hörte im Grunde schon nicht mehr richtig zu, als er zu sprechen begann.

«Püppchen», säuselte Honka, und ich gähnte nach Innen. «Püppchen, ich habe mich in eine andere Frau verliebt und möchte mich von dir trennen.»

Ich muss ihn etwa zwei Minuten lang völlig verständnislos angestarrt haben.

«Nun ja, mehr gibt es eigentlich nicht zu sagen», sagte er schließlich, um was zu sagen. «Möchtest du, dass ich gleich gehe?»

Ich glotzte ihn immer noch an, so als ob ... na ja, so wie man halt glotzt, wenn man von einem Mann verlassen wird, den man noch nicht mal liebt. Das ist besonders beschämend. Ich meine, man ist es ja gewohnt, von Männern verlassen zu werden, von denen man nicht verlassen werden möchte. Das ist dann ein großer, dramatischer, würdevoller Schmerz. Darüber gibt es Romane und Ratgeberbücher. Das hat jeder mal erlebt. Da wird man ordentlich bemitleidet, und keiner macht einem Vorwürfe, wenn man vor schierem Kummer innerhalb von drei Wochen vier Kilo zunimmt.

Aber man ist doch nicht zweieinhalb Jahre aus Mitleid und, zugegeben, auch Feigheit mit einem Mann zusammen, um dann von dem verlassen zu werden. Da hätte man sich die ganze Zeit des Aushaltens ja sparen können!

«Siehst du», sagte meine Freundin Ibo später, «du hättest ihn eben schon viel früher verlassen sollen.»

«Natürlich hätte ich ihn längst verlassen, wenn ich gewusst hätte, dass er mich verlassen würde!»

Ach, die Diskussion war eine fruchtlose.

Jedenfalls wusste ich auf Honkas Abschiedserklärung nichts zu erwidern. Er wiederholte seine Frage:

«Püppchen, möchtest du, dass ich gleich gehe? Ich würde nämlich ganz gern noch die ‹Tagesthemen› gucken.»

Ich sah auf die Uhr, zuckte mit den Schultern und sagte: «Ich habe mich zweieinhalb Jahre mit dir gelangweilt, da kommt es auf die halbe Stunde auch nicht mehr an.»

Ja, ich weiß, das war billig und total niveaulos. Ich bin auch nicht stolz darauf. Aber ich war eben so unheimlich gekränkt, dass ich mir diese Niedertracht nicht verkneifen konnte.

Honka, wie immer, nahm es mir gar nicht übel. Jedenfalls hat er sich die «Tagesthemen» noch angeschaut, bevor er aus meinem Leben verschwand, um bei dem der Apothekenhelferin mitzumachen.

Honkas Frau leitet heute einen Betrieb, in dem Verschlusskappen für Medikamentenröhrchen hergestellt werden. Honka selbst ist, soweit ich weiß, zum dritten Mal in Mutterschutz.

Welcher Idiot hat eigentlich behauptet, man würde aus Erfahrung klug? Zwar war ich nach Honka fest entschlossen, mir Männer niemals wieder deshalb auszusuchen, weil sie zu meinen schlechtesten Eigenschaften passen – aber es ist mir nicht wirklich gelungen. Leider habe ich mich nie in die Männer verliebt, die ich für menschlich wertvoll hielt. Das sind alles meine besten Freunde geworden: Tom, der enorm sexy aussieht, mir seine Gewichtsprobleme anvertraut und keiner Frau über den Weg traut, die es ernst mit ihm meint.

Und Jo, der Poet, der so klug ist und zart. Der eine habilitierte Miss World bräuchte, eine, die lüstern wird, wenn sie einen Themenabend auf Arte schaut.

Und Frank, der zum dritten Mal und wieder sehr glücklich verheiratet ist. Der Glückliche.

Ich selbst bin eher unglücklich. Nein, unglücklich ist wohl das falsche Wort. Aber irgendwas stimmt immer nicht. Ich hänge aber auch irgendwie an meinen Problemen. Sie sind meine treuen Begleiter, sorgen für Kurzweil und Gesprächsstoff.

Ich zitiere ja nicht besonders häufig Klassiker deutscher Wortkunst – dafür kenne ich immerhin vieles von Gegenwartskünstlern wie Ally McBeal, Seinfeld und Xavier Naidoo auswendig –, aber an dieser Stelle sei der gute Goethe erwähnt, der einst schrieb:

«Nichts ist schwerer zu ertragen, als eine Reihe von guten Tagen.»

Der Mann war klug. Ich hätte es selbst nicht besser ausdrücken können.

Wenn ich mich abends auf einer Party unwiderstehlich fand, habe ich garantiert am nächsten Morgen einen Pickel auf dem Kinn. Und zwar einen von denen, die wehtun, ohne dass man sie anfasst.

Wenn ich nach einem spitzenmäßigen One-Night-Stand modern und wortlos das Appartement verlassen will, dann wurde garantiert mein Auto abgeschleppt. Ich muss also zurück und kleinlaut bitten, beim zuständigen Polizeirevier anrufen zu dürfen.

Wenn ich früh ins Bett gehe, überhöre ich morgens den Wecker.

Wenn ich abends keinen Alkohol trinke, habe ich tags darauf Kopfschmerzen und geschwollene Lider.

Wenn ich mich verliebe, dann in den Falschen.

Wenn ich verlassen werde, dann vom Richtigen.

Wenn ich abnehme, dann ist es nur Wasser.

Und wenn ich ein CD-Überspielgerät geschenkt bekomme, dann freue ich mich sehr darüber, weiß aber genau, dass ich das Ding niemals werde bedienen können.

Es ist immer was los bei mir. Ich will es nicht anders. Sobald ich ein Problem gelöst habe, schaffe ich mir ein neues an.

Es gab allerdings einen Moment, da musste ich annehmen, ich hätte auf einen Schlag keine einzige noch so klitzekleine Schwierigkeit mehr.

Als ich Philipp von Bülow kennen lernte, dachte ich, dass sich der Himmel aufgetan und das liebe Jesulein persönlich befohlen hätte: «Jetzt, Freunde, jetzt ist die Kleine da hinten mal an der Reihe!»

5:38

Will reflexartig gerührt zu meinem schmatzenden Lebensgefährten rübergreifen, ihm «Guten Morgen, Bülowbärchen» ins Ohr flüstern und dann, etwas lauter: «Ich bin schon wach. Schläfst du etwa noch, mein Liebster?» Denn ich bin nicht gerne alleine wach. War ich noch nie. Ich kann es auch nicht gut leiden, wenn der Mensch, der neben mir liegt, als Erster einschläft. Fühle mich dann vernachlässigt, einsam und außerdem im Nachteil, weil ich ja auch lieber schlafen möchte, als mich darüber zu ärgern, dass ich als Einzige noch wach bin. Ich habe also einige Methoden ausgearbeitet, jemanden so zu wecken, dass er denkt, er sei von selbst aufgewacht. Oder ich erfinde Gründe, die ein frühzeitiges Wecken dringend erforderlich machen: «Ich hatte einen Albtraum.» «Du hattest einen Albtraum.» «Du hast ganz schlimm geschnarcht.» Oder: «Ich glaube, es ist jemand in der Küche.»

Ich bin mir noch nicht sicher, welche Strategie ich heute Morgen anwenden werde, robbe ein wenig näher heran an meinen Süßen, strecke meine Hand liebevoll aus ... als mir gerade noch rechtzeitig einfällt, dass ich Philipp von Bülow ja gar nicht mehr liebe. Und zwar seit gestern Abend.

Ich mag da ja etwas empfindlich sein, aber gestern hat er den Bogen wirklich überspannt und zu viel Zeit mit dieser Pissnelke verbracht, dieser Schweinenase, dieser spindeldürren Übelkrähe. Nein, ich habe nichts gegen die Frau persönlich, wirklich nicht. Sie ist seine Klientin, er handelt ihre Verträge aus, und er kann ja nichts dafür, dass sie so dünn und so naturblond ist – und vor drei Jahren mal eine Affäre mit ihm hatte.

«Nichts Ernstes. Das war rein sexuell», versuchte Philipp zu scherzen, nachdem er mir unvorsichtigerweise von dieser Liaison berichtet hatte.

Bente Johannson ist, ich erwähnte es schon, hauptberuflich unterernährt. Sie kommt aus Schweden, was ihr bedauerlicherweise diesen niedlichen, nordischen Au-pair-Mädchen-Akzent beschert. Sie ist etwa eins achtzig groß und hat selbstverständlich als Model in Paris, Mailand und New York gearbeitet. Seither benutzt sie gerne auch mal Amerikanismen, bei denen sie ihren ohnehin schon unnatürlich großen Mund aufreißt, als wolle sie gerade einen Doppelwhopper mit einem Happs verschlingen.

«Hi Phil, my Darling», sagt die schwedische Schlampe immer zu Philipp und zeigt dabei ihr Zäpfchen. Mich hingegen begrüßt sie meist gar nicht – was ich sehr begrüße.

Bente hat Philipp bedauerlicherweise nicht nur zu ihrem Anwalt erkoren, sondern auch zum Berater in allen Lebenslagen. Sie informiert ihn über ihre Krisen und ruft ihn fünfmal am Tag in der Kanzlei an, wenn sie sich am Set vom Regisseur, von einem Beleuchter oder einfach nur generell schlecht behandelt fühlt.

Seit einem Jahr arbeitet Bente leider erfolgreich als Moderatorin der RTL2-Reality-Show «Der Eisprung deines Lebens». Da werden fünfzehn Kandidatinnen «auf einem einsamen Ei-Land» – so die irre originelle Werbung – ausgesetzt, auf dem es bloß ein paar Hütten, viel halbtrockenen Sekt und vier Kerle gibt. Wer nach zwölf Wochen, sprich zwei Zyklen, schwanger ist, kommt ins Finale.

Die Ultraschallbilder gibt's wöchentlich zum Runterladen im Internet, und nach den Geburten wird per DNA-Test bestimmt, wer von den Männern die meisten Kinder gezeugt hat. Der bekommt die Siegerprämie von 250 000 Mark. Die Mütter dürfen alle ihr Leben lang umsonst bei Esso tanken, und jedes der Gewinner-Kinder bekommt zur Einschulung einen Garantievertrag für einen Moderatoren-Job bei RTL2.

Behinderte Kinder, so eine Klausel in den Verträgen, dürfen

später in mindestens vier Werbespots der «Aktion Mensch» mitspielen.

Philipp hat mir erzählt, dass Bente diese Show nur sehr widerwillig moderiere und ihr eigentlich etwas in Richtung «Spiegel-TV» oder «Aspekte» vorschwebe.

Dass ich nicht lache. Har! Har! Har!

Wahrscheinlich hat sie deshalb, um ihrer Sehnsucht nach seriösen Inhalten Ausdruck zu verleihen, jüngst das Angebot angenommen, sich für den «Playboy» auszuziehen.

Wenn man mich fragt, ich halte große Brüste ja für absolut überbewertet.

Einmal, Philipp und ich waren noch kein halbes Jahr zusammen, gingen wir mit Bente, ihrem damaligen Begleiter und ihrer besten Freundin essen. Natürlich im Borchardt, wo der Bundeskanzler auch gerne speist und wo Bente Johannson immer einen Tisch bekommt, auch wenn sie nicht reserviert hat, und wo Normalsterbliche keinen Tisch bekommen, auch wenn sie reserviert haben.

Ich selbst habe einmal mit Ibo in der langen Schlange der Namenlosen, der gedemütigten Nobodys gestanden und eine Stunde auf unseren reservierten Tisch gewartet – den dann die Frau bekam, die gerade erst gekommen war. Ich glaube, es war Hannelore Elsner oder die nordrhein-westfälische Landwirtschaftsministerin.

Bente bestellte eine Suppe und dann einen kleinen Salat. Ihre Freundin, eine schwarze Gazelle, aß nur einen kleinen Salat und kicherte, wenn Philipp einen Witz machte – auch dann, wenn er bloß versuchte, einen Witz zu machen. Ich glaube, sie nahm einfach nur jeden noch so winzigen Anlass wahr, um zu zeigen, wie gut ihre perlweißen Zähne in ihrem Erdal-schwarzen Gesicht zur Geltung kamen.

Bentes Begleiter sagte den ganzen Abend gar nichts, sah dafür aber blendend aus. Wie Pierce Brosnan. Wahrscheinlich wollte er den guten Eindruck, den er mit seinem Äußeren erweckte, nicht durch Wortbeiträge zunichte machen. Insofern also ein kluger Mann.

Eigentlich hörten alle Philipp zu. Nun ja, alle außer mir. Denn ich kenne die Geschichten über Thomas Gottschalk mittlerweile auswendig. Oder die Story, wie ein Mann die «Bild»-Zeitung verklagte, weil sie über den tragischen Tod seiner Frau unter der Schlagzeile berichtet hatte: «Margot (42) wurde nur 41 Jahre alt.»

Brüllendes Gelächter.

Ich widmete mich verschwiegen dem mittelmäßigen Schnitzel. Früher habe ich immer artig gelacht über Witze, die ich schon kannte, oder über solche, die ich schlecht fand oder nicht verstanden hatte. Versuche seit geraumer Zeit, mir das abzugewöhnen.

Als ich mir als Einzige eine Nachspeise bestellte, schien mich Bente zum ersten Mal zu bemerken: «Du, Pippi», sagte sie und nippte an ihrem stillen Wasser, «ich finde das ganz toll, wenn jemand einfach das isst, worauf er Lust hat, ohne auf die Figur zu achten. How should I say? Das ist so genussorientiert.»

Ich implodierte und dachte: «Bente Johannson, du widerliches Skelett! Ich kann abnehmen, wenn ich will, aber an deinem dämlichen Gesicht kannst du nichts mehr ändern! Ich bin klug, ich bin lustig. Ich habe den Mann, den du wolltest, und ich habe fest vor, meine Bauchmuskeln zu trainieren!»

Ich sagte: «Ähhh? Ach ja? Danke. Mein Name ist übrigens Puppe.»

Sie sagte: «Oh, how sweet!» Und ich sah, wie sie Philipp zuzwinkerte.

Das war der Beginn einer lebenslangen Feindschaft – zumindest von meiner Seite aus. Wir sind uns noch drei-, viermal begegnet. Zunächst beschloss ich, sie nicht mehr zu grüßen. Was aber nicht weiter auffiel, weil ich sie ohnehin nie gegrüßt hatte. Leider gab Bente mir auch keine Gelegenheit, sie schlecht zu behandeln, da sie mich völlig ignorierte.

Ich litt sehr. Auch darunter, dass Philipp kein Verständnis für meine Seelenqual zeigte: «Das hast du doch gar nicht nötig. Bente ist meine Klientin und eine gute Bekannte, weiter nichts. Und sie ist einfach eifersüchtig auf dich.»

«Warum das denn?»

«Weil du so natürlich bist.»

Ich weiß, dass er das als Kompliment meinte. Aber trotzdem fühlte ich mich in Bentes Anwesenheit wie ein Aborigine im Jil-Sander-Flagship-Store, wie unoperiert neben Ramona Drews, wie unbekleidet neben Giselle Bündchen, wie ungebildet neben Hans Magnus Enzensberger und so weiter.

Es fällt mir bis heute schwer, mich in der Gesellschaft der Reichen und Schönen zurechtzufinden – zumal die meisten reicher und schöner sind als ich.

Gestern Abend jedenfalls, Philipp und ich wollten noch einen Absacker in der Paris Bar nehmen, ist mir der Kragen geplatzt. Kaum hatten wir die Eingangstür passiert, ertönte ein schriller Schrei: «Phil! Honey! Endlich!»

Bente Johannson sprang vom Stuhl, riss mein Bülobärchen an sich und zerrte ihn in die Nähe der Toiletten.

Ich stammelte noch was wie: «Ach, Bente, angezogen hätte ich dich fast nicht erkannt», aber sie war schon außer Hörweite. Ich stand bedröppelt vor dem Tresen und versuchte so zu tun, als könnte ich mich nicht entscheiden, zu welchem meiner zahlreichen Bekannten ich mich setzen sollte.

Ich war heilfroh, dass ich Sylvia an einem der Tische entdeckte. Sylvia ist die beste Schauspielerin Deutschlands und die anstrengendste Person, die ich kenne. Und die einzige Frau auf der Welt, die es gewagt hat, sich von ihrem Mann zu trennen, obwohl sie über vierzig und er unter vierzig ist. Ich habe sie sehr gern. Besonders, weil sie mich so gern hat.

In ihrem Metier sind Frauen nämlich in der Regel nicht nett zueinander. Entweder sie schnappen sich gegenseitig die Rollen oder die Männer weg. Und da ich keine Rollen habe, muss ich wohl ganz besonders auf meinen Mann aufpassen.

Philipp kümmerte sich vierunddreißig Minuten lang nicht um mich. Davon halte ich nichts. Da bin ich typisch weiblich. Wenn ich anwesend bin, dann will ich auch wahrgenommen werden. Und zwar möglichst ausschließlich. Wenn nicht, dann gibt es Probleme.

Mit Sylvia sprach ich über die Vorteile jüngerer Männer.

Philipp ist acht Jahre älter als ich. In zwei Monaten feiert er seinen Vierzigsten. So, wie ich gestimmt war, pries ich die Vorzüge eines jungen Liebhabers so schwärmerisch, dass selbst Sylvia, die sich zurzeit die Zeit mit einem Zweiundzwanzigjährigen vertreibt, skeptisch wurde.

Während unseres Gesprächs äugte ich fortwährend Richtung Toilette: Bente redete mit großen Gesten aufgeregt auf Philipp ein. Den Kopf warf sie dabei immer wieder zurück wie die Damen in den Werbespots für Haarfestiger.

Ich versuchte, mich auf Sylvia zu konzentrieren, die mir von einem Film berichtete, in dem sie mal wieder die betrogene Ehefrau spielen sollte.

«Weißt du was, Puppe, die Produzenten wollen einfach nicht wahrhaben, das eine Frau jenseits der vierzig noch gerne fickt.»

Ich zuckte ein wenig zusammen, weil Sylvia, wie es ihre Art ist, sehr laut gesprochen hatte.

«Ist das denn so?», fragte ich hoffnungsvoll.

Ich bin zwar erst Anfang dreißig, aber vor die Wahl gestellt, zwischen Sex und einem neuen Film mit Hugh Grant, also ganz ehrlich, da müsste ich schon einen Moment überlegen ...

«Natürlich ist das so!», trompetete Sylvia. «Mit fünfunddreißig hatte ich meinen ersten vaginalen Orgasmus. Und seither wird es immer besser!»

Ein junger Typ mit künstlerisch wertvollem Ziegenbärtchen schaute interessiert herüber und fragte, was wir trinken wollten.

Sylvia ging gegen ein Uhr. Mit dem Ziegenbärtchen am Arm. Sie küsste mich auf den Mund und sagte zum Abschied: «Hör mal, Kleine, das ist ja nicht mit anzusehen. Geh gefälligst nach Hause oder hau deinem Philipp eine in die Fresse.»

Fünf Minuten starrte ich verwegen in mein Weinglas.

Sehe mich ausholen.

Sehe Philipps entsetztes Gesicht und seine geschwollene Wange. Blut rinnt langsam aus seinem Mundwinkel.

Sehe mich lächeln.

Ich stupse Bente Magermilchschnitte Johannsen gegen das knöchrige Brustbein und sage: «Mädchen, geh nach Hause was essen.»

Dann wende ich mich wieder Philipp zu.

Er starrt mich an, weiß nicht, wie ihm geschieht.

Ich sage: «Süßer, du bist zwar adelig und hast einen guten Hintern, aber ich bin Amelie Puppe Sturm, und ich hab was Besseres verdient.»

Dann drehe ich mich auf dem Pfennigabsatz um, winke mit zwei Fingern dem schwarzen Kellner, der original aussieht wie Denzel Washington, lege meinen Arm um seine Hüften und gehe langsam mit ihm hinaus – nicht ohne meinen ansehnlichen Po keck zu wiegen.

Jaaaah ...

Ich seufzte wehmütig.

Dann ging ich nach Hause.

Grußlos. Gedemütigt. Aber mit dem festen Vorsatz, am nächsten Morgen meine Würde zurückzuerobern.

5:40

Eine offenbar äußerst verärgerte Amsel reißt mich aus meinen trüben Überlegungen. Vom Balkongeländer schleudert sie böse Stakkato-Flüche in den dämmrigen Morgen, meckert, was das Zeug hält.

Meckern finde ich gut. Tu ich auch gerne. Aber immer nur meckern, das reicht auf Dauer nicht.

Zwanzig vor sechs. Ich weiß, warum ich so früh aufgewacht

bin. Das passiert mir sonst nie. Schon gar nicht nach so einer Nacht. Aber heute ist der Tag, an dem ich endlich das tue, womit ich sonst nur drohe.

Schwestern! Wie oft habt ihr ein Glas gegen die Wand geschmissen, zumindest in Gedanken, habt böse gebrüllt: «Mir reicht's! Mich siehst du nie wieder!» Habt eindrucksvoll nach eurem Kulturbeutel und – um zu beweisen, dass es euch wirklich ernst war – nach eurem Skin-Repair-Konzentrat von Clarins gegriffen und türenschlagend das Haus verlassen? Das Haus, in dem sich zur selben Zeit euer Mann ein Glas guten Rotwein eingeschenkt und den Fernseher eingeschaltet hat, mit dem Wissen, dass ihr innerhalb der nächsten zwanzig Minuten sowieso wieder in der Tür stehen würdet?

Wie oft seid ihr zurückgekommen, weil er euch nicht nachgelaufen ist?

Wie oft habt ihr erneut das Gespräch gesucht, obwohl ihr der Meinung wart, dass es nichts mehr zu sagen gäbe?

So oft wie ich?

Dann solltet ihr eine Selbsthilfegruppe gründen für Frauen, die zu viel drohen und zu wenig handeln. Allerdings ohne mich. Ich mach jetzt zur Abwechslung mal Ernst.

Ich entwinde Philipp vorsichtig mein Kuschelkissen. Zentimeter um Zentimeter ziehe ich unter seinem schlafenden Körper mein Lammfell hervor. Er schmatzt vernehmlich, drückt ein Stück Decke energisch an sich und dreht sich brüsk um. Sein Haupthaar, von hinten besehen, sieht aus wie der Schlafplatz einer Herde Ziegen, die diesen erst kürzlich verlassen haben.

Sollte dies das Letzte sein, was ich beim Abschieds-Anblick von Philipp von Bülow denke?

Von mir aus.

Ich gehe in die Küche und stelle die Espressomaschine an, von der Philipp bis heute glaubt, ich könne sie nicht bedienen.

5:42

Ich glaube, was Philipp von Bülow an mir gefiel, war, dass ich ihn überraschte. Nun, ich muss zugeben, dass es keine angenehme Überraschung war, aber ein Mann mit seinem Beruf ist so viel Peinlichkeit gewohnt, dass ihn so leicht nichts aus der Ruhe bringt.

Philipp und sein Seniorpartner Julius Schmitt sind die prominentesten Prominentenanwälte in Berlin. Philipp handelt zum Beispiel Werbeverträge aus, und ein gut Teil seines Vermögens stammt aus Thomas Gottschalks Gummibärchen und Steffi Grafs Deo Roller. Ich glaube, Philipp hatte auch mit diesem sagenhaft peinlichen Spot zu tun, in dem Johannes B. Kerner für einen rechtsdrehenden Joghurt warb. Dafür hat sich Philipp immer ein bisschen geschämt, aber ich finde, er hätte vorher wissen können, dass bei Johannes B. immer was rauskommt, wofür man sich schämen muss.

Philipp verklagt auch Zeitschriften, die Unwahres über seine Mandanten verbreiten, oder verteidigt reiche Menschen. Letztens wurde ein Bankier von seinem Nachbarn verklagt, weil die vier alten Eichen, die zwischen der Bankiersvilla und dem freien Blick auf den Schlachtensee standen, nachts von einem Trupp Kosovo-Albaner gefällt wurden. Philipp hat den armen Mann rausgeschlagen.

Ts, ts, ts, da kauft man sich 'ne Hütte für sechs Millionen, baut das Ding für drei Millionen um, macht einen Landschaftsarchitekten und eine Horde Gärtner reich – und das Einzige, was die Kumpels auf der Housewarming-Party fragen, ist «Wattn? Nich ma Blick uff'n See?» Nein, das geht ja auch wirklich nicht.

Philipp hat viel Entwürdigendes erlebt. Er hat mal zwischen den Zeilen angedeutet, dass er Jürgen Drews und Jenny Elvers vertreten hat. Und trotzdem: Mit so was wie mir war er überfordert.

Philipp hatte seine Schwester in Hamburg besucht, die ihren Geburtstag feierte. Es muss so gegen halb drei Uhr morgens gewesen sein, als er während des Rückwegs zum Hotel schlagartig nüchtern wurde. Später hat er in heiteren Runden immer gern erzählt, was sich ihm da für ein Anblick bot:

«Es war eine warme Sommernacht, und ich ging zu Fuß ins Hotel Atlantic zurück. Als ich in die Schmilinskystraße einbog, stank es plötzlich nach verkokeltem Plastik. Ich sah einen relativ kleinen, offensichtlich sehr aufgeregten Menschen in einem dunklen Kapuzenshirt um einen rauchenden Gegenstand herumhopsen. Völlig grotesk! Ich wollte gerade über mein Handy die Polizei rufen,

als sich der kleine Mensch umdrehte und mich völlig erschrocken ansah.

Es war eine Frau! Wegen der Kapuze konnte ich nur ihr Gesicht sehen. Eigentlich nur ihre Augen – riesengroße, runde braune Augen. Und darüber nur noch die Überreste von Augenbrauen. Alles in allem sah sie aus wie ein angebranntes Monchichi-Bärchen. Ich weiß noch, dass ich dachte, sie könnte gut bei den nächsten Olympischen Spielen als Maskottchen mitmachen. Wir starrten uns einige Sekunden an. Hinter ihr qualmte es, und es stank erbärmlich. Ich fragte sie, was denn passiert sei, und sie fragte mich, ob ich nicht einfach weitergehen und so tun könne, als hätte ich nichts bemerkt. Eine Träne lief aus einem dieser Riesenaugen. Direkt in mein Herz hinein. Ich nahm sie in den Arm und sah über ihren Kapuzen-Kopf hinweg den Brandherd: Ein Briefkasten, aus dem Flammen loderten. Ich war auf einmal komischerweise sehr glücklich.»

Ach, klingt das aus seinem Mund nicht herrlich romantisch? Das war es natürlich nicht. Es war vollkommen idiotisch! Eine dumme Sache, die sich jedoch ganz leicht erklären lässt.

Ich habe ja bereits meinen Freund Honka erwähnt, der sich wegen einer joggenden Walküre von mir getrennt hatte. Ich kam damals recht schlecht damit zurecht. Ich war seit zwei Wochen unfreiwillig Single, der Sommer war heiß, ich hatte vor Kummer vier Kilo abgenommen, fand mich gut aussehend, unbeschlafen und schlecht gelaunt und war in jener Nacht ganz sicher, dass ich niemals wieder glücklich werden würde, wenn ich Honka nicht zurückgewänne.

Nun gut, ich hatte mich mit ihm gelangweilt, hatte ihn betrogen. Aber das gab einer anderen noch lange nicht das Recht, sich mit ihm zu langweilen und ihn zu betrügen.

Ich setzte also alles auf eine Karte. Auf eine Postkarte. Ich schrieb: «Honka, du bist mein Leben! Komm zurück zu mir, und du wirst es niemals bereuen! Für immer dein Püppchen.»

Ich warf die Karte gegen zwei Uhr nachts in den Briefkasten. Nächste Leerung: sieben Uhr.

Um zwei Uhr zwanzig wurde mir bewusst, dass ich der größte lebende Trottel war.

Was hatte ich getan!?

Was!?

Wenn es nach Mitternacht wärmer ist als zweiundzwanzig Grad, dann neigen Frauen dazu, Dinge zu tun, die sie bei fünfzehn Grad zu Recht niemals tun würden. Hitze macht dämlich. Und es würde mich nicht wundern, wenn es in den südlichen Ländern Europas wesentlich weniger Hochschulabsolventen gäbe als in den kalten und niederschlagsreichen Regionen des Kontinents. Ich wohne in Hamburg, und ich bin solche Hitze nicht gewohnt. Ich wollte Honka doch gar nicht zurück! Bloß nicht! Wahrscheinlich würde er aufgrund seiner widerwärtigen Wahrheitsliebe meine Karte sogar seiner neuen Apotheken-Schlampe zeigen. Grundgütiger! Was sollte ich tun?

Ich vermummte mich mit meinem Kapuzen-Shirt, das ich sonst nur im Winter im Dunkeln zum Joggen anziehe, und schlich zurück zum Briefkasten des Grauens.

Zehn Minuten lang versuchte ich, diese vermaledeite Karte herauszufischen. Brach mir fast das Handgelenk. Musste zeitweilig befürchten, bis zum nächsten Morgen in dem entsetzlichen Schlitz festzustecken. Gegen zwei Uhr vierzig packte mich die schiere Verzweiflung. Ich war jetzt zu allem bereit. Ich rannte nach Hause und war drei Minuten später mit einem selbst gebastelten Brandsatz zurück: «Bild»-Zeitung plus Brennspiritus. Ich tränkte das Papier üppig, warf es in den Briefkasten und schickte ein brennendes Streichholz hinterher.

Nichts geschah.

Einundzwanzig.

Zweiundzwanzig.

Dreiundzwanzig.

Beunruhigt linste ich durch den Briefkastenschlitz – der just in diesem Moment eine Qualmwolke ausspieh. Dicht gefolgt von einer Stichflamme.

Ich dachte an «Die letzten Tage von Pompeji» und daran, wie peinlich es wäre, durch einen explodierenden Briefkasten mein Leben zu verlieren. Ich roch meine verbrannten Augenbrauen, schmeckte Ruß auf meinen Lippen, hopste panisch um das qualmende Ding herum und schwor mir gleichzeitig, niemals jemandem, auch nicht meiner besten Freundin Ibo, etwas von dieser Torheit zu erzählen. Also wirklich. Andere haben uneigennützig Molotowcocktails gegen das Springer-Hochhaus geworfen. Und ich? Soll ich meinen Kindern sagen, dass ich tollkühn einen Postkasten bombardiert habe, in den ich eine völlig hirnrissige Karte geworfen hatte? Lieber nicht.

«Das Herz einer Frau ist ein tiefer Ozean voller Geheimnisse.»

Das sagte schon Gloria Stuart als die uralte Rose in «Titanic», bevor sie den fetten Klunker ins Meer fallen ließ.

Und mein Briefkasten-Geheimnis würde ich ganz tief, sozusagen in den Mariannen-Graben meines Herzens-Ozeans versenken.

Der Briefkasten hörte einfach nicht auf zu kokeln. Ich drehte mich angewidert um – und sah mein Schicksal.

5:45

«Na, du dickes Marple», sage ich, und wie jeden Morgen verbessert sich meine Laune schlagartig bei ihrem Anblick.

Sie kommt mir verschlafen im Flur entgegen, ich klemme sie unter den Arm und trage sie ins Badezimmer. Sie stöhnt dabei wie eine drittklassige Hure, die einen Orgasmus vortäuscht.

Philipp hat mir streng verboten, Marple ins Badezimmer zu lassen. Unhygienisch! Ins Bett durfte sie natürlich auch nicht. Er sah es ebenso ungern, wenn sie sich in der Küche rumtrieb. Aber heute

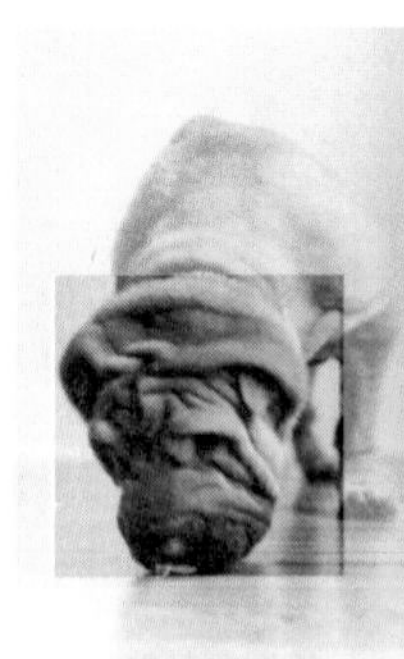

ist es mir ein Vergnügen, alle seine Vorschriften zu missachten. Bevor ich endgültig gehe, werde ich auch noch ein paar Wattepads ins Klo werfen, die Butter nicht in den Kühlschrank zurückstellen, zwei, drei Runden mit Pfennigabsätzen über das frisch abgezogene Parkett drehen und Krümel von meinen leidenschaftlich geliebten Butterkeksen zwischen den Sofakissen zerbröseln.

Es ist doch viel schöner, wenn man weiß, dass man im Leben des anderen Spuren hinterlassen hat.

Ich setze Marple vorsichtig auf den großen Waschtisch und schaue uns im Spiegel an.

Puppe und Marple.

Marple ist ein chinesischer Faltenhund. Eigentlich heißt sie Miss Marple. Wegen Miss Marple. Weil die genauso aussieht und auch genauso ist. Über und über faltig, mit einem bärbeißigen Charakter und einer Neigung, immer dann aufzutauchen, wenn man am wenigsten mit ihr rechnet und sie auch am wenigsten vermisst.

Meine Marple ist aprikosenfarben, hat dickes Fell mit kurzen Haaren, und sie sieht aus, als sei ihr die Haut, in der sie steckt, mindestens drei Nummern zu groß. Die vielen, schweren Falten auf ihrer Stirn, die fast bis über die Augen lappen, verleihen ihr einen Ausdruck von Nachdenklichkeit und Schwermut.

Oder, wie Philipp es ausdrückt: «Die sieht aus, als hätte sie gravierende Probleme.» Marple trat vor drei Jahren in mein Leben, als ich sie einer Bekannten abnahm, die sie für teures Geld als Welpe gekauft hatte und zwei Wochen später eine Hundehaarallergie bekam. Vielleicht war sie ja auch allergisch gegen Marples Anblick. Sie ist wirklich sehr, sehr hässlich.

Philipp hat sich immer geweigert, bei Tageslicht mit ihr spazieren zu gehen. In seine Kanzlei hat er sie selbstverständlich nie mitgenommen. Er sagt, es würde seine Autorität untergraben, wenn er mit einer schrumpligen, sabbernden Aprikose an der Leine ins Büro komme.

Als wir das erste Mal bei ihm übernachteten, hatte Philipp für Marple einen großen, wahnsinnig hässlichen Hundekorb besorgt. Erst war ich total gerührt, weil ich dachte, mein neuer, göttlicher Freund will, dass sich meine kleine Marple an den Wochenenden pudelwohl fühlt. Aber er stellte den Korb in den ungemütlichsten Winkel seiner 180-Quadratmeter-Altbauwohnung: in eine winzige Kammer zwischen Bügelbrett, Wäscheständer und Weinregal.

Ich wollte nicht kompliziert erscheinen, schwieg äußerlich gelassen und schubste Marple nachdrücklich in die Abseite. Mein Fehler.

Noch heute plagen mich Gewissensbisse und Albträume.

Aber in jener Nacht hatte ich keine Zeit für ein schlechtes Gewissen, weil ich zu sehr damit beschäftigt war, bei Philipp von Bülow den Eindruck zu erwecken, ich sei eine erstklassige Liebhaberin. Gerade knabberte ich mich an seiner Wirbelsäule hinunter – ganz so, wie ich es in dem Ratgeber «Heiße Tipps für heiße Nächte» gelesen hatte –, als mich ein ohrenbetäubendes Scheppern aus dem Konzept brachte.

Marple hatte wohl schlecht geträumt – das kann leicht passieren in fremder und wenig heimeliger Umgebung – und im Schlaf gegen das Bügelbrett getreten. Das wiederum war gegen den Wäscheständer gefallen, der seinerseits das Weinregal mit sich riss. Marple lag verblüfft und reglos in einer riesigen roten Weinlache, die ich, kontaktlinsenlos, versehentlich für eine Blutlache hielt. Ich weiß noch, wie ich klagend vor meinem Hund auf die Knie fiel und schrie: «Sie ist tot! Philipp, du Schwein, du hast sie umgebracht!»

In dem Moment erhob sich Marple, schüttelte sich den Wein aus dem Pelz und wedelte erfreut mit dem Schwanz. Mir fiel ein Stein vom Herzen, und heute kann Philipp auch darüber lachen. Glaube ich zumindest.

Das klingt wie Slapstick? Das bin ich gewohnt. Mein ganzes Leben klingt wie mittelmäßig erfunden. Mir passieren ständig solche Sachen, die, wenn man sie am nächsten Tag in fröhlicher Runde erzählt, klingen, als wolle man aufs Billigste versuchen, die Aufmerksamkeit auf sich zu lenken.

Ich mache leider recht viel kaputt. Nicht nur Gegenstände. Auch Pointen, hoffnungsvolle Gesprächsansätze und gute Stimmungen. Leider tue ich das nicht mit Absicht, dafür bin ich nicht bösartig genug. Philipp hält mich für trampelig und ungeschickt. Ich persönlich bin eher der Ansicht, dass ich oft einfach kein Glück habe. Und dann kommt manchmal auch noch Pech dazu.

5:47

Mein Spiegelbild sieht heute besser aus, als ich befürchtet hatte. Gut, meine Haare scheinen zwar recht willkürlich über meinen Kopf verteilt, aber mein Gesichtsausdruck ist entschlossener, als

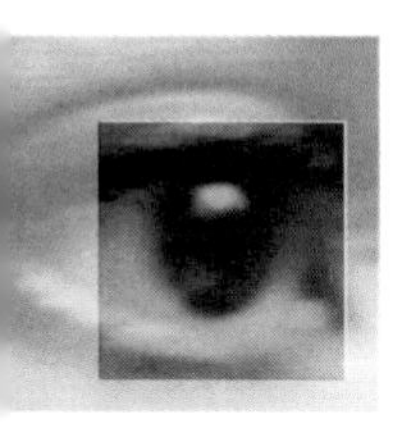

ich ihn von mir kenne. Wegen meiner runden braunen Augen sehe ich sonst nämlich immer irgendwie beeindruckt aus. Als würde ich sie vor Verblüffung weit aufreißen. Dabei reiße ich sie gar nicht auf. Die sind von Natur aus so weit offen. Leider wirke ich dadurch so, als würde ich mich für das interessieren, was andere Leute mir erzählen.

«Männer fühlen sich von dir zu Unrecht verstanden», sagt meine Freundin Ibo immer. «Du schaust sie an wie eine Mischung aus erschrockenem Rehkitz und erfahrener Nachtschwester.»

Aber ich schaue gar nicht. Ich will bloß was sehen! Es ist wirklich schlimm. Meine Augen sehen offenbar aus wie offene Ohren. Und jeder blökt da rein. Und wenn die dann noch meinen Spitznamen hören, fällt auch die letzte Hemmung, mir etwas vorzuenthalten, was ich nicht wissen will.

«Puppe? Wie süß! Das passt so gut zu dir!»

Seit ich mich überhaupt an mich erinnern kann, nennen mich die Leute Puppe. Und das liegt an meiner Großmutter Amelie Tschuppik.

Meine Mutter wollte ihrer Mutter eine besondere Freude bereiten, indem sie ihre Tochter auf den Namen Amelie taufte. Ein schrecklicher Name, daran kann es keinen Zweifel geben, und das sah Oma Amelie Tschuppik nicht anders.

Als sie mich zum ersten Mal sah, brach sie in dröhnendes Gelächter aus. Ich krakeelte wie am Spieß, und ich muss wohl sehr klein, sehr verhutzelt und mit viel Kopfhaar gesegnet gewesen sein. Ich sah eindeutig seltsam und lustig aus, und trotzdem war meine Mutter ziemlich beleidigt, weil Mütter es wohl generell nicht mögen, wenn man sich angesichts ihrer Babys kaputtlacht. Vergleichbar empfindlich sind nur noch Männer bezüglich ihres Genitals und Frauen bezüglich ihrer neuen Frisur.

Amelie Tschuppik jedenfalls machte sich über meine Frisur lustig: «Manche sind kaum auf der Welt und müssen schon zum Friseur!», über meine vielen Falten: «Himmel! Das Kind sieht ja älter aus als ich!» – und sagte schließlich: «Nun denn, meine kleine Puppe, wenn ich so einen blöden Vornamen hätte, würde ich auch schreien wie am Spieß.»

Der Überlieferung nach gab ich daraufhin sofort Ruhe. Und von diesem Moment an war ich Puppe. Meine Mutter nannte mich nur noch Amelie, wenn ich mich weigerte, den Tisch abzuräumen oder heimlich im Gartenhäuschen geraucht hatte.

So heiße ich also Puppe und sehe auch so aus. So, als würde ich lachen, wenn man mir auf den Bauch drückt oder automatisch die Augen schließen, wenn man mich auf den Rücken legt.

Philipp meint immer, ich solle zur Mordkommission gehen oder Klatschreporterin werden. Da müsste ich die Leute dann einfach nur lange genug anschauen, bis sie mir gestehen würden, wo die Leichenteile versteckt sind oder mit welcher Frau sie aus Versehen ein Kind gezeugt haben. Zum Glück habe ich aber schon einen Beruf, mit dem ich sehr zufrieden bin.

Meine Berufswahl war ein Zufall, und mir wird immer ganz warm ums Herz, wenn ich daran zurückdenke.

Es ist fünf Jahre her, da lernte ich versehentlich Ibo kennen. Ibo heißt mit vollem Namen Ingeborg Himmelreich, sie ist zwei Köpfe größer als ich, hat kurze blonde Haare, eine robuste Figur, einen robusten Charakter und die strahlendsten blauen Augen, die ich jemals gesehen habe. Sie könnte Werbung für gefärbte Kontaktlinsen machen – ohne gefärbte Kontaktlinsen zu tragen.

Wir mochten uns auf Anhieb. Ich hatte ihr Kaffee über die Bluse geschüttet, woraufhin sie erfreut sagte: «Endlich mal ein menschliches Wesen in diesem langweiligen Laden.»

Ingeborg Himmelreich war Betriebswirtschaftlerin und hatte drei Tage vorher in der Buchhaltung von Soldemanns Flachgewebe angefangen, dem größten Auslegewarehersteller Hamburgs. Ich arbeitete seit einem Jahr dort und fragte mich jeden Tag aufs Neue, warum.

Ich hatte Innendekorateurin gelernt, dann Graphik-Design nicht zu Ende studiert, danach mit Germanistik angefangen und schließlich Kunstgeschichte nach drei Semestern aufgegeben. Ein paar Monate lang entwarf ich CD-Cover für Undergroundbands. Mit sechsundzwanzig beschloss ich, Geld zu verdienen, und nahm das Angebot von Sondermann an, Auslegware zu designen.

Ich meine, welcher Idiot designt Auslegware? Ich habe mich in meinem ganzen Leben noch nicht so dermaßen geschämt, wenn ich abends auf Partys gefragt wurde, was ich beruflich mache. Dazu kam: Ich persönlich mag ja sowieso lieber Parkett.

Im Gegensatz zu mir hatte sich Ingeborg Himmelreich nicht damit abgefunden, bei Soldemanns Flachgewebe unglücklich zu werden. Für sie war die Buchhaltung dieses Betriebes so uninteressant, dass sie sich nach drei Monaten einen Termin bei Soldemann junior geben ließ, in sein Büro schritt, ihm ihr Kündigungsschreiben auf den Schreibtisch legte und sagte: «Es tut mir Leid, Herr Soldemann, aber Sie haben die Probezeit nicht bestanden.»

Bis heute beneide ich Ibo für diesen Auftritt. Ich liebe große Auftritte – sie gelingen mir nur leider selten.

An dem Tag, an dem Ibo kündigte, verließ ich mit ihr zusammen das Büro, murmelte was von Frauenleiden, und wir setzten uns an die Bar des Alsterpavillons.

Ingeborg Himmelreich und Puppe Sturm betranken sich vom späten Nachmittag an. Selbstverständlich mit Champagner. Veuve Cliquot. In Piccolofläschchen. Siebzehn Stück. Ibo sagte, davon habe sie immer geträumt: sich als freiwillig Arbeitslose mit Schampus-Piccolöchen unter den Tisch zu trinken. Zum Schluss haben wir direkt mit den Fläschchen angestoßen und dazu laut gerufen: «Nichts ist flacher als Flachgewebe!»

Weit nach Mitternacht schwankten wir zu mir nach Hause und verbrachten die Nacht kichernd in meinem Doppelbett. Ich aß sehr viele Butterkekse, während Ibo darüber fachsimpelte, ob man eigentlich auch rot wird, wenn man sich im Dunklen schämt. Das brachte mich auf einen ganz anderen Gedanken, nämlich: Wie nennt man wohl einen Findling, bevor er gefunden wird?

Und warum macht man das Radio leiser, wenn man im Auto sitzt und nach einer Straße sucht?

Wir sprachen lange darüber. Ich kann nur mit Ibo solche Fragen erörtern, die jeder andere für völlig schwachsinnig halten würde. Einmal saßen wir einen ganzen Abend lang zusammen, und es machte uns viel Spaß, sämtliche uns bekannten Putzmittel für Wortspiele zu missbrauchen. Von den «Omo-Sexuellen» bis zu den «Ferien auf Sagrotan».

Ein anderes Mal dachten wir uns trendige Namen für Friseurgeschäfte aus. Ausnahmsweise hatte ich die beste Idee: «Hair Force One».

Ingeborg Himmelreich ist eine sehr kluge Frau, und ich bin wahnsinnig stolz, dass ich ihre beste Freundin bin, und das, obwohl ich nie zu Ende studiert habe. Ingeborg sagt immer, bei ihrem Aussehen hätte sie keine andere Wahl gehabt, als klug zu werden. Ich finde das ziemlich kokett. Okay, sie ist nicht der Bringer, den Männer sofort saftelnd zum Drink einladen. Man sieht ihr leider an, wie intelligent sie ist, und deshalb kommt sie von vorneherein für etwa fünfundsiebzig Prozent der Männer nicht infrage. Ich hingegen werde von jedem Volltrottel schamlos beplaudert und wecke Beschützerinstinkte in Männern, die sich lieber vor mir in Acht nehmen sollten. Nur wenn ich mit Ibo ausgehe, traut sich keiner dieser Deppen mehr an mich ran. Wir haben also meist unsere Ruhe.

In jener Nacht in meinem Doppelbett schauten wir «Frühstück bei Tiffany» auf Video, lackierten uns gegenseitig die Fußnägel, und als wir «Moon River» hörten, musste ich weinen wegen der Sehnsucht nach irgendwas.

There's such a lot of world to see

Ich glaube gegen halb drei Uhr morgens hatten wir die Idee, die uns innerhalb von viereinhalb Jahren glücklich und ziemlich wohlhabend machte.

Um halb sechs war alles beschlossen.

Um halb sieben standen wir auf und begannen den Tag mit einer Hand voll Aspirin und einem letzten Glas Champagner.

Ich kündigte am nächsten Tag und wurde mit Ingeborg Inhaberin des Café Himmelreich.

5:50

«Na, Marple, gleich geht's los!», sage ich aufmunternd – was Marple bedauerlicherweise zum Anlass nimmt, mit ihrem verkümmerten Schwänzchen zu wedeln. Mit einem Streich fegt sie Philipps Dachshaar-Rasierpinsel, seinen Zahnputzbecher aus französischem Porzellan und seine Manschettenknöpfe mit dem eingravierten Familienwappen vom Waschtisch. Die Kostbarkeiten plumpsen ins Waschbecken, in dem ein paar meiner BHs einweichen, und Marple bekommt einen Schwall Seifenlauge ab.

Ich weiß, dass mein Hund trottelig und hässlich ist, aber im Gegensatz zu anderen habe ich Marples Vorzüge sofort erkannt: Neben so einem Hund siehst du immer gut aus, und du kannst an seiner Seite alt werden, ohne dich alt zu fühlen und ohne dass es besonders auffällt.

Du findest dich morgens unansehnlich? Krähenfüße unter den Augenlidern?

Deine Stirn sieht aus, als könne man dir eine Verschlusskappe aufschrauben?

Dein Dekolleté ähnelt der Sahel-Zone nach einer besonders langen Dürre-Periode?

Kopf hoch, lächeln, Miss Marple anschauen. Schlimmer geht's immer. Das ist wie Aufwachen neben Mutter Theresa. Wie ein Freibadbesuch mit Inge Meysel. Wie Sauna mit Ilja Rogoff. Da hat man immer automatisch die besseren Karten.

Ich setze meinen nassen Hund in die Badewanne, rubble ihn mit Philipps Handtuch trocken und hänge es anschließend an seinen Platz zurück. Es ist kurz vor sechs, und Philipp wacht am Wochenende freiwillig niemals vor halb elf auf. Bis dahin müsste das Handtuch wieder trocken und ich mit Sack und Pack auf der Flucht sein.

Auf der Flucht. Das klingt nach wütendem Hundegebell im Nebel, nach dem Licht von Taschenlampen, das die Schwärze der Nacht zerschneidet, nach einem pockennarbigen US-Marshall mit dem Gesicht von Tommy Lee Jones, der sagt: «Riegelt das ganze Gelände im Umkreis von zwanzig Meilen ab. Ich will, dass ihr das Mädchen findet. Amelie Puppe Sturm darf nicht entkommen!»

Amelie Puppe Sturm wird – einsam, aber stolz – in den erwachenden Tag hineinbrausen. Ihre Hände – zart, aber entschlossen – auf das vibrierende Lenkrad gelegt. Ihr Haar – wild, aber unheimlich gut sitzend – im Morgenwind flatternd. Sie wird Gas geben, einen schmalen Zigarillo zwischen den dunkelrot geschminkten Lippen, ihrem Hund die Nackenfalten kraulen und hinkefüßige Kleinwagen per Dauerlichthupe aus ihrem Weg scheuchen.

Und um halb elf wird sie in hämisches Lachen ausbrechen bei der Vorstellung, wie der ehrwürdige Herr Philipp von Bülow seinen gepflegten Leib unter die Dusche stellt und ihn anschließend sorgfältig abrubbelt mit einem Handtuch aus edelstem Mischgewebe: dreißig Prozent Baumwolle und siebzig Prozent feinstes, aprikosenfarbenes Hundehaar.

5:55

Telefon!

Wie?

Telefon!

Ich plane meinen Aufsehen erregenden Abgang, ich schrubbe gerade mein Gesicht mit meinem Shiseido-Bürstchen, um abgestorbene Hautzellen zu entfernen, und ausgerechnet jetzt klingelt das verdammte Handy von Philipp von Bülow?

Panisch versuche ich, das Klingeln zu orten. Wo hat der Kerl sein Telefönchen gelassen? Die verdammten Dinger sind ja heutzutage so klein, die kannst du versehentlich einatmen und wunderst dich dann, warum deine Bronchien klingeln.

Ich husche hektisch auf Zehenspitzen von Zimmer zu Zimmer.

«Düü dü dü dü dü dü düüüü»

Die Klingelmelodie von «We are the champions» scheint von überall zu kommen, um mich zu verhöhnen. Ich habe Philipp immer gesagt, dass ich dieses Klingelsignal lächerlich finde und er dadurch offensichtlich jeden auf sein leider völlig intaktes Selbstbewusstsein aufmerksam macht. Und das muss doch wirklich nicht sein.

We are the Champions, my friend!

Wo ist das Telefon!? Wo? Wenn Philipp aufwacht, ist mein ganzer Plan dahin! Höre ich nicht schon ein ärgerliches Stöhnen aus dem Schlafzimmer? Schritte in Richtung Flur?

And we'll keep on fighting 'till the end

Da! Endlich!

Ich finde das winzige Ding in Philipps Sakkotasche. Ich fummle es ungeschickt heraus – nicht ohne das Innenfutter einzureißen – und drücke auf die grüne Anruf-annehmen-Taste. Im selben Moment erstirbt das Klingeln. Ich lasse das Handy sinken und lehne mich schwer atmend gegen die Wand.

Hat Philipp was gehört?

Wird er meine Flucht vereiteln?

Wird er mir meinen großen Auftritt vermasseln, indem er gleich aus dem Schlafzimmer tritt, sich die Augen reibt und sagt: «Püppchen, holst du die ‹Süddeutsche›, oder soll ich gehen?»

Ich lausche lange.

Nichts.

Stille ringsherum.

Nur Marple tapst durch den Flur, auf der Suche nach mir, und freut sich mächtig, als sie mich schweißgebadet im Ankleidezimmer findet.

«Ist ja gut, meine kleine Dicke», sage ich, als sie fröhlich wedelnd auf mich zukommt. Zum Glück neigt sie nicht dazu zu bellen, um auf ihre Empfindungen aufmerksam zu machen. Ganz im Gegensatz zu mir.

Ich beuge mich zu Marple hinunter, schlinge meine Arme um sie und höre in diesem Moment, dass Philipp von Bülows Handy zu mir spricht:

«Nachricht liegt vor.»

«Nachricht liegt vor.»

«Nachricht liegt vor.»

5:58

Im Nachhinein scheint es mir, als ob ich es schon vorher gewusst habe. Aber ich wusste es nicht. Ich schwöre es. Es mag naiv gewesen sein, blauäugig, dämlich, idiotisch. All das. Aber ich hatte wirklich keine Ahnung.

Bis zu diesem Moment wollte ich Philipp von Bülow doch bloß eine Lektion erteilen. Ich wollte wutschnaubend wegfahren, vielleicht zurück nach Hamburg. Wollte mich auf der Flucht fühlen, ohne es zu sein. Wollte ein Drama aufführen, ohne zu leiden. Wollte achtundvierzig Stunden lang seine Anrufe nicht beantworten, mich bei Ibo über ihn beschweren und mich dann doch gnädig zu einem Versöhnungsgespräch bereit erklären.

Das war es, was ich wollte. Das hatte ich schon öfter mal gemacht. Alle drei Monate ergreife ich jede Gelegenheit zur dramatischen Interaktion. Das hält die Liebe jung und die Beziehung abwechslungsreich. Ja, ich neige zu Überreaktionen, will daran aber nichts ändern, weil es mein Leben interessanter macht, als wenn ich immer angemessen reagieren würde.

Philipp von Bülow hatte mir bis zu diesem Moment nichts wirklich Schlimmes getan. Und wenn ich nicht so früh aufgewacht wäre, wenn ich nicht aufgestanden wäre, um meine kleine, dramatische, aber harmlose Showeinlage in Angriff zu nehmen, wenn ich meinem Zorn schon gestern Abend freien Lauf gelassen hätte, wenn wir nicht in die Paris-Bar gegangen wären, wenn ich nicht diesen dämlichen Brief an Honka in diesen vermaledeiten Briefkasten gesteckt hätte – ja, dann wäre mir all das erspart geblieben.

5:59

«Nachricht liegt vor.»

Soll ich? Oder soll ich nicht?

Ich habe nie viel von Diskretion gehalten. Wenn jemand ein Geheimnis haben will, dann soll er es vor mir verbergen. Und wenn er es nicht gut genug verbirgt, dann kann er mir nicht böse sein, wenn ich es herausfinde. Das war immer meine Einstellung.

Gut, ich neige zur Schnüffelei, ich gebe es zu. Und ich kenne keine Frau, die diese Neigung nicht mit mir gemein hätte. Ich möchte sogar so weit gehen, zu behaupten, dass Diskretion bei Frauen eine behandlungsbedürftige Störung darstellt.

Man stelle sich vor: Eine Frau liest die mit selbst gemalten Herzchen verzierte Postkarte, die an ihren Freund adressiert ist, nicht. Krankhaft.

Man stelle sich vor: Eine Frau informiert sich aus dem offen herumliegenden Filofax ihres Liebsten über dessen Termine für die kommende Woche *nicht*. Bedenklich.

Man stelle sich vor: Eine Frau findet auf seinem Schreibtisch einen unverschlossenen Umschlag mit dem Vermerk «Persönlich» und schaut nicht hinein. Oder hört auf seinem Handy die Ermunterung «Nachricht liegt vor» und wählt nicht die Mailbox an. Völlig unweiblich, völlig unrealistisch.

Ich persönlich finde Schnüffelei erst dann verwerflich, wenn man dabei Spuren hinterlässt. Ich würde Briefumschläge niemals aufreißen, niemals fremder Leute E-Mails lesen, wenn es die Funktion «Als neu behalten» nicht gäbe, und nie in seinem Portemonnaie nach verdächtigen Quittungen suchen, wenn ich nicht ganz sicher wäre, dass er gerade sehr fest schläft.

Nein, ich bin nicht misstrauisch. Ich bin neugierig, und ich will was erleben. Schnüffeln macht Spaß, weil man dabei ja was entdecken könnte, was dann vielleicht keinen Spaß macht.

Eine Logik, die sich sicherlich nicht jedem ganz leicht erschließt. Meist findet man ja sowieso nur raus, dass Männer tatsächlich nichts zu verbergen haben. Und irgendwie ist das den meisten Frauen dann auch wieder nicht recht. In dem Punkt sind wir einfach wahnsinnig dialektisch. Ich meine, jetzt mal ehrlich: Wer will denn schon einen treuen Mann? Wer will einen, um den man sich keine Sorgen machen muss? Wer will einen, dem du, wenn er für vier Wochen alleine in den Robinson-Club in die Türkei fährt, auch noch «Viel Spaß» wünschen musst?

Dein Mann ist treu? Na herzlichen Glückwunsch! Vielleicht weil ihn außer dir keine haben will?

Als Ibo beispielsweise zum ersten Mal betrogen wurde und es herausfand – das war ein Fest! Sie war mit Heiner vier Monate zusammen, als sie übers Wochenende zu ihren Eltern fuhr und montags mit zwei gezielten Griffen in seine Hosentasche eine Restaurantrechnung fand, die mit seiner Aussage «Ich war mit Martin, Udo und John einen Happen essen und dann noch Billard spielen», irgendwie nicht recht vereinbar war: Fünfhundertachtzig Mark für zwei Menüs im Hamburger Sterne-Restaurant Le Canard.

Ingeborg sah Heiner einmal streng an, und er gestand alles: Ex-Freundin überraschend vorbeigekommen. Wiedersehen gefeiert. Viel getrunken. Nichts von Bedeutung.

Männern kann ja viel nichts bedeuten.

Aber Ingeborg zeigte sich unversöhnlich und war nicht bereit, sich die Gelegenheit entgehen zu lassen.

Endlich ein passender Anlass!

Sie haute Heiner eins mit der Handtasche über die Rübe, sagte kein Wort mehr, packte ein kleines Köfferchen, rief ein Taxi und verschwand. In eine Suite des feinsten Hotels der Stadt.

Dort verbrachte sie die Nacht Cocktails schlürfend auf ihrem Balkon. Wohlwollend betrachtete sie ihr Handy, das abwechselnd klingelte oder verzweifelte SMS von Heiner empfing.

Als sie mich gegen drei Uhr morgens anrief und von Heiners Untat berichtete, sagte ich überrascht: «Was!? Das hätte ich ihm niemals zugetraut.»

Ibo war zum Glück nicht beleidigt. Sie kicherte und sagte: «Ich auch nicht.» Und dann fing sie an zu weinen.

Ich fuhr zu ihr auf die Dachterrasse.

Sie empfing mich mit den Worten: «Was soll die Heulerei? Ich liebe ihn ja noch nicht mal. Ich bin nur so gekränkt, dass mich ein Mann betrügt, der mir nichts bedeutet.»

Ich dachte an meine unselige Erfahrung mit dem ungeliebten Honka und sagte weise: «Wenn du ihn nicht liebst, dann kannst du ihm auch vergeben.»

Und so war's dann auch. Ibo und Heiner haben sich zwei Monate später getrennt, weil Heiner Ibo nicht verzeihen konnte, dass ihr seine Untreue so wenig ausgemacht hatte.

Die Handhabung von Wahrheit und Diskretion unterscheidet Männer und Frauen wesentlich. Frauen wollen belogen werden. Männer wollen noch nicht mal die Wahrheit wissen.

Aber das ist ein weites Feld. Und ich komme bei Gelegenheit auf das Thema zurück.

6:10

Ich öffne eine Flasche sehr, sehr teuren Rotwein. Ich meine, mich zu erinnern, dass Caroline von Monaco das Tröpfchen schicken ließ, nachdem Philipp die «Bunte» wieder mal zu einer horrenden Schmerzensgeldzahlung gezwungen hatte.

«Carolines künstliche Brüste» lautete, glaube ich, die Titelzeile. Oder war es «Caroline: Schwanger von Boris Becker?».

Ich weiß es nicht mehr genau. Eine Zeit lang glaubte ja beinahe jede Schwangere, ihr Kind sei von Boris Becker.

Ich stehe mit der Flasche in der Hand im Wohnzimmer und betrachte den Scheiterhaufen meiner Liebe.

«Nachricht liegt vor.» Jetzt nicht mehr.

Lustig ist das nicht. Aber irgendwie tragisch-komisch.

Ich muss lachen, obwohl mir nicht danach zumute ist.

Im Flur habe ich Philipps Anzüge zu einem Haufen aufgetürmt. Sicher anderthalb Meter hoch. Als Anwalt braucht man ja jeden Tag was Repräsentatives. Ein Dutzend Kaschmir-Pullover und seidene Boxershorts sind auch dabei. Die hellen Sommeranzüge von Jil Sander und den karamellfarbenen Cordanzug von Gucci habe ich ganz nach oben gelegt, weil die ja so empfindlich sind.

Ich schenke mir ein Gläschen ein, trinke zwei Schlückchen – soll man ja eigentlich wirklich nicht vor dem Frühstück –, ich sage «Prost» und schütte den Rest der Flasche über den Kleiderhaufen.

Die edlen Stoffe saugen den Wein auf, als seien sie in ihrem vorherigen Leben ehrgeizige Wischlappen gewesen. Besonders der helle Cord scheint geradezu danach zu gieren.

Ich sehe mir selbst zu bei dem, was ich tue.

Sehe die Flasche in meiner Hand und sehe mein Gesicht. Meine Augen leuchten. Ich sehe sehr entschlossen aus und konzentriert. Als würde ich eine äußerst knifflige Aufgabe zu meiner vollsten Zufriedenheit bewältigen.

Gibt es Momente, die sich so gut anfühlen, wie sie in Erzählungen klingen? Oder erfährt man Genugtuung, Rache, Erleichterung, Glück immer erst in der Erinnerung, in der Verarbeitung?

Ich gebe zu, manche Dinge habe ich nur gemacht, um sie nachher erzählen zu können. Ich glaube zum Beispiel, dass ich wesentlich länger Jungfrau gewesen wäre, wenn ich nicht das große Bedürfnis gehabt hätte, auf dem Schulhof etwas zu den Gesprächen beitragen zu können. Und tatsächlich hat mich der eigentliche Akt weit weniger begeistert als die anschließende Schilderung in Anwesenheit meiner damals zwölf engsten Freundinnen.

Erleben ist schön. Aber erzählen ist schöner.

Ist es nicht so, dass wir erst in unserer Erinnerung bestimmen, wie der Moment, an den wir uns erinnern, wirklich war? Partys, Sex, Bewerbungsgespräche, Prügeleien, Petting: werden solche Erlebnisse nicht erst dann wirklich gut, wenn wir sie unserer besten Freundin bei mehreren Gläsern Gavi di Gavi und zwei Packungen Gauloise legères erzählen?

Ich hätte nie mit Thomas Kling geschlafen, hätte nie Michael Thalheim geküsst, wäre nie mit Jan Gehrmann an die See gefahren, wenn man mir vorher das Versprechen abgenommen hätte, dass ich niemandem davon erzählen dürfe.

Mädchen, seid ehrlich: Was hättet ihr alles nicht getan, wenn ihr keine Freundinnen hättet für die Nachbereitung? Wie langweilig wäre euer Leben, wenn ihr euch nicht ständig bemühen würdet, etwas zu erzählen zu haben?

Ich liebe dieses Thema. Aber jetzt genug davon.

Was ich sagen wollte, ist: Den guten Rotwein über Philipp von Bülows teure Anzüge zu gießen ist das Beste, was ich je in meinem Leben gemacht habe.

Abgesehen vielleicht von meiner längst überfälligen Entscheidung für gefärbte Kontaktlinsen im letzten Jahr. Und besonders schön ist: Ich weiß um die Genialität des Augenblicks, in dem Moment, in dem ich ihn erlebe. Das ist selten. Dafür muss man dankbar sein.

Mein dickes Marple steht leise winselnd hinter mir. Der Geruch des Weins, der Anblick der sich rasch ausbreitenden roten Pfütze erinnert sie wahrscheinlich an ihre erste schreckliche Nacht in dieser Wohnung. Ihre faltige Stirn wirkt jetzt besonders besorgt. Ich nehme Miss Marple auf den Arm und drücke sie fest an mich.

Mein Hund und ich, wir haben genug gelitten.

Sie steckt mir ihre Nase ins Ohr. Ich bin mir bewusst, dass ein zartes Baby oder ein verstörtes Kleinkind an Marples Stelle die Situation irgendwie dramatischer gestaltet hätten. Aber man kann es sich ja nicht aussuchen.

Das ist mein Leben.

Das ist nicht Hollywood.

Aber es ist schlimm genug.

Ich schaue noch einen Moment lang zu, wie sich die Weinlache langsam zu einem Rinnsal verjüngt, das sich munter auf den cremefarbenen Berber zubewegt.

«Unser fliegender Liebesteppich», pflegte Philipp ihn neckisch zu nennen.

Ach Gottchen.

Ich hole eine Tube Elmex aus dem Bad und drücke sie über ein paar Nadelstreifenanzügen aus. Das tut gut. Weiß man ja, dass Zahnpasta Stoffe für immer und ewig entfärbt.

Ich atme tief durch. Und packe meine Sachen.

6:30

Leise ziehe ich die Tür hinter mir zu.

Aus.

Vorbei.

Sozusagen aus und vorbei.

Ich recke heroisch das Kinn in die Höhe und versuche eine gute Figur zu machen, während ich meinen schweren Koffer, die große Reisetasche und zwei Plastiktüten die Treppe herunterwuchte. Marple hopst ausgelassen um mich herum und wedelt so heftig mit ihrem Schwanz, als wolle sie ihn abschütteln. Wie immer verliert sie auf den letzten Metern des glatten Steinflures vor lauter Übermut den Halt, dreht sich einmal um ihre eigene Achse und schlittert dann, alle viere von sich gestreckt, gegen die Eingangstür.

Dong.

Jedes Mal dasselbe. Marple hat sich schon daran gewöhnt und quittiert den Zusammenstoß mit diesem typischen «Pfffffffthhhhhüüüü». Einem Geräusch, als würde man aus einem sehr prallen Reifen sehr plötzlich sehr viel Luft rauslassen.

Ich habe gleich vor der Haustür geparkt. Ich hieve mein Gepäck in den Kofferraum, öffne das Verdeck und setze Marple auf den Beifahrersitz. Ich fahre einen metallic-himmelblauen Fiat Spider. Und zwar nicht irgendeinen Spider, sondern den ersten von Pinin Farina designten, ein wunderbares und einzigartiges kleines Cabriolet mit anbetungswürdigen Türgriffen und zungenförmigen Auswölbungen auf der Motorhaube.

Ich habe es gekauft, als Ibo und ich im zweiten Jahr unserer

Selbständigkeit in den schwarzen Zahlen waren, und zwar in verdammt schwarzen Zahlen. Auf der Beifahrertür steht in roten Buchstaben: www.cafe-himmelreich.de. Ich halte das für eine gute Werbung, weil ich einen himmelblauen Fiat Spider für das lässigste Auto halte, das eine Frau fahren kann, die sogar mit Stilettos nicht mal eins siebzig groß ist.

Mein Auto ist wie ein Kuschelteddy, den man an sich drückt in der Fremde, wenn man nicht einschlafen kann. Mein Zuhause, mein Trost, mein Stückchen Heimat in schweren Zeiten fern von daheim.

Ich kenne wenig Frauen, die zu ihrem Auto eine so emotionale Beziehung haben wie ich zu meinem. Bei Ibo zum Bespiel musst du dir die Hosenbeine hochkrempeln, wenn du als Beifahrer einsteigen willst. Bei allem, was sie im Auto tut, hinterlässt sie Spuren. Sie erledigt ihre Post, wenn sie an roten Ampeln steht. Sie isst beim Fahren Bananen, Hustenbonbons und Schokoriegel. Briefumschläge, Rechnungen, Postkarten, Obstschalen, Bonbonpapier – alles schmeißt sie neben sich auf den Boden.

Außerdem lagert Ibo Dinge, für die in ihrer Wohnung kein Platz mehr ist, im Kofferraum. Die Rollerblades zum Beispiel, zwölf Bände «Meyers Konversationslexikon» und die multifunktionale Küchenmaschine, die sie von ihrer blöden Patentante zu Weihnachten bekommen hat. Und wenn Ibo im Stau steht – und Ibo steht jeden Morgen im Stau –, dann dreht sie den Rückspiegel zu sich und zupft sich die Augenbrauen.

Das ist doch ekelhaft! Egal, wo man in ihrem Auto hinlangt, sofort hat man Ibos ehemalige Brauen an den Fingern kleben. Oder man spießt sich beim Einsteigen die Pinzette in den Hintern, die

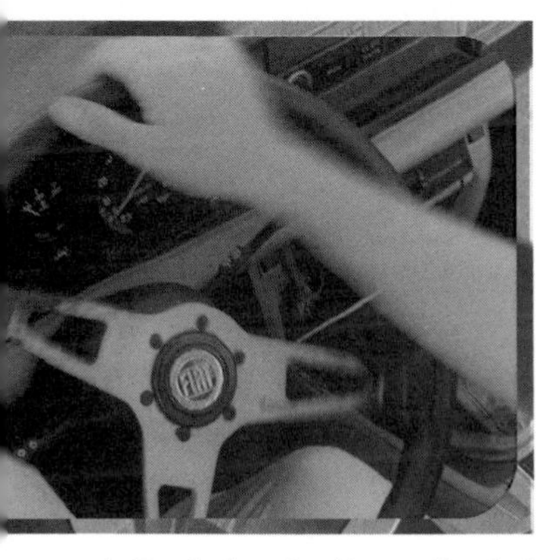

immer auf dem Beifahrersitz für Ibos Zupf-Anfälle bereitliegt.

«Ich sag's dir, Puppe, Augenbrauenzupfen kann zur Sucht werden», sagt Ibo.

Und seit ich selbst damit angefangen habe, weiß ich, dass sie Recht hat. In diesem Punkt habe ich also Verständnis für Ibo. Ansonsten habe ich kaum Verständnis für Ibo. Wir mögen uns von Herzen, sind aber grundverschieden. Und es schmerzt mich, mit anzusehen, wie wenig Wert sie auf die wirklich wichtigen Dinge des Lebens legt: Kleidung, Body-Mass-Index, Männer, Klatsch und Image.

Insofern passt ihr Auto eigentlich ganz gut zu ihr. Im Grunde genommen fährt Ibo auch gar kein richtiges Auto, sondern einen Opel Astra.

«Hauptsache, es bewegt sich und fährt nach links, wenn ich nach links will», sagt sie immer.

Wahrscheinlich suchen Frauen ihre Männer oftmals nach ähnlich bescheidenen Kriterien aus. Deswegen gehen so viele Beziehungen schief.

Ich habe Ibo jedenfalls verboten, dass auch sie auf ihrer Tür Werbung für unser Café Himmelreich macht. Damit würde die völlig falsche Zielgruppe angesprochen werden. Schlimm genug, dass das Café einer Opel-Astra-Fahrerin gehört. Ich möchte nicht auch noch Opel-Astra-Fahrerinnen als Kundschaft haben.

Ingeborg bedeutet ihr Auto nichts, und sie hat einfach nicht richtig nachgedacht, bevor sie es kaufte. Das ist immerhin besser als die Leute, die lange nachdenken und dann trotzdem das falsche Auto kaufen. So wie die gelifteten Schabracken, die manchmal in Philipps Kanzlei kommen, um ihren Ehevertrag einzuklagen, weil ihre Männer sie wegen Frauen verlassen haben, die in zehn Jahren ebenfalls als geliftete Schabracken in Philipps Kanzlei kommen werden, um ihren Ehevertrag einzuklagen.

Die sind so teuer angezogen, die würden sicherlich 80 000 Mark Schaden verursachen, wenn sie plötzlich explodieren würden. Die haben Stunden in Boutiquen verbracht, über die Imagewerte von Labeln gebrütet, ihre Handtasche auf die Garderobe und die Garderobe auf ihre Augenfarbe abgestimmt. Die denken ständig darüber nach, wie sie worin aussehen, und sehen trotzdem ganz furchtbar beschissen aus.

Das kann man Ibo nicht vorwerfen. Sie verschwendet keine Zeit, um schlecht auszusehen.

Ich hole einmal tief Luft, drehe den Zündschlüssel um und nehme mir vor, ab jetzt alles anders zu machen, als ich es gewohnt bin.

Wohin hat es mich denn gebracht, alles so zu machen, wie ich es gewohnt bin?

Ich sehe mich gezwungen, mich in Herrgottsfrühe aus dem Staub zu machen. Gekränkt, gedemütigt, gereizt, gemeingefährlich. Ich war viel zu lange verständnisvoll. Mit mir kann man's ja machen. Ich bin ja so natürlich. Und so offen. Und so freundlich.

Ich bin ein Trottel.

Aber das, Freunde, das ist jetzt vorbei. Ich habe eine beste Freundin, einen fantastischen Friseur, besitze die Hälfte eines gut gehenden Cafés, einen chinesischen Faltenhund und ein himmelblaues Fiat-Spider-Cabriolet. Ich lass mir von keinem mehr was sagen.

Jetzt ist Schluss mit natürlich.

Jetzt werde ich böse.

6:33

Ich gebe Gas. Und es scheint mir in diesem Fall angemessen, mit quietschenden Reifen auf den Kurfürstendamm einzubiegen. Ich habe das lange nachts auf unbeleuchteten und einsam gelegenen Parkplätzen geübt. Denn nichts ist peinlicher als ein missglückter Kavalierstart, bei dem man den Motor abwürgt und dann müde belächelt als Allerletzter von der Ampel wegkommt.

Das ist wie:

im Stadion auf zwei Fingern pfeifen wollen, und es kommt nur Spucke raus,

mit arrogantem Blick quer über die leere Tanzfläche stolzieren und erst beim Hinsetzen merken, dass man einen langen Streifen Klopapier hinter sich herzieht, der sich in der Strumpfhose verfangen hat.

Leider keiner in der Nähe, der meine actionfilmmäßig quietschenden Reifen würdigen könnte. Kaum jemand ist um diese Zeit unterwegs. Kein Geschäft öffnet hier vor zehn, und niemand steht samstags früher auf als nötig.

Ich kenne den Ku'damm nur voll. Voll mit Menschen, voll mit Autos, voll mit Geräuschen. Und wie jeder Ort, den ich nur belebt kenne, berührt es mich eigenartig, ihn unbelebt zu sehen.

Es ist das gleiche Gefühl wie ganz früher nach einer Party.

Wenn meine Eltern zur Kur waren, und ich Freunde eingeladen hatte. In der Küche stand das kalte Büffet mit Nudelsalat und Käsehäppchen. Süßer Sekt und Bier im Kühlschrank. Im Wohnzimmer lief laut Police.

Im Schlafzimmer meiner Eltern verlor Christine Merkstein, die in Deutsch neben mir saß, ihre Unschuld. Im Bad übergab sich Georg Seitz, der Schlechteste in Mathe, weil er zu viel Martini Rosso getrunken hatte. Joachim gab mir einen Zungenkuss, tanzte mit mir vor der Schrankwand, und Sting sang:

Roxanne! You don't have to wear
that dress tonight
Walk the streets for money
You don't care if it's wrong or if it's right
Roxanne!

Und um eins war alles vorbei. Die Freunde gegangen, der Zungenkuss fertig geküsst, der Asti Spumante leer, der Martini leer, das Haus leer. Kein Ort ist leerer als der, der gerade noch voll war.

Nie war ich einsamer als an solchen Orten. Wenn der Trubel vorbei ist. Wenn du noch glaubst, das Lachen und die Stimmen zu hören. Aber es ist alles still. Es riecht noch nach Menschen, nach Freunden, aber sie sind nicht mehr da. Es riecht nach Rauch, aber keiner fragt mehr, ob es noch Zigaretten gibt. Es riecht noch nach Schweiß, aber keiner schwitzt. Du hast keine Menschen mehr um dich, sondern nur noch die Spuren, die sie hinterlassen haben. Ich weiß noch immer, wie das ist. Als wäre es gestern gewesen. Dabei ist es so verdammt lange her.

Ein Kehrfahrzeug schleicht vor mir her. Macht den Ku'damm sauber für den Samstags-Ansturm. Ich überhole den Wagen langsam. Wer sitzt drinnen? Egal. Es ist der einzige Freund, den ich im Moment habe. Jeder, der jetzt wach und auf der Straße ist, ist mein Freund. Ich schaue in die Fahrerkabine und winke blöde.

Der Mann sieht mich nicht. Er schaut konzentriert in seinen rechten Außenspiegel, damit er auch jedes Fitzelchen Müll erwischt. Er hat eine orange Schirmmütze tief in die Stirn gezogen, eine Zigarette hängt in seinem Mundwinkel. Sicher ein Mann, der seinen Kummer mit sich alleine ausmacht.

Ich bin ganz froh, dass er mich nicht gesehen hat. Der hätte bestimmt nicht zurückgewinkt. Männer neigen generell nicht zum Zurückwinken. Sie freuen sich auch nicht, wenn man in der Kantine laut «Juhuuu, Olaf!», ruft, ihnen abends in der Kneipe von hinten die Augen zuhält und vergnügt fragt: «Rahat mal, weher das iihiist?» Oder auf dem Bahnsteig bei ihrem Anblick gerührt stehen bleibt, die Koffer fallen lässt und brüllt: «Wer kommt in meine Armeeee!!??»

Mit so was kommen sie ganz schlecht zurecht. Sie mögen es recht amüsant finden, anderen Menschen beim Emotionenhaben zuzuschauen, halten aber spontane Positiv-Regungen an sich selbst für unpassend. Es sei denn bei großen Sportereignissen sowie überraschenden Siegen ihres Heimatfußballvereins. Philipp sagt immer: «Puppe, überleg doch mal: Wenn wir beide so emotional wären, wie sähe dann unser Mobiliar aus?»

Philipp ist vernünftiger als ich. Und, das hatte ich schnell gemerkt, er gehört zu der Sorte Mann, die viel mit sich alleine ausmacht.

Ich hingegen mache eigentlich nie etwas mit mir alleine aus. Dafür bin ich einfach nicht der Typ. Wenn ich was erlebe, will ich es erzählen. Wenn ich nichts erlebe, will ich es auch erzählen. Wenn ich Kummer habe, dann will ich möglichst auch viele andere damit belasten. Wenn ich Schmerzen habe, ist viel Aufmerksamkeit die beste Medizin. Wenn ich fröhlich bin, dulde ich keinen Griesgram in meiner Nähe. Wenn ich ein Problem habe, dann beteilige ich möglichst viele Menschen an der Suche nach einer Lösung. Das ist wie bei Großfahndungen: Je mehr Spürhunde mitschnüffeln, desto schneller ist der Übeltäter gefasst.

Bei Philipp ist es genau andersrum: Je mehr ihn bewegt, desto weniger sagt er. Er grübelt gerne, fällt einsame Entscheidungen, leidet stumm und wirft mir dann aber gerne – das ist wirklich völlig absurd – mangelnde Empathie vor.

«Du kreist ja nur um dich selbst», unterstellte er mir erst neulich wieder beleidigt. Ich hatte den ganzen Abend aufgeweckt und interessant von meinen Stammgästen im Café Himmelreich erzählt und dabei vergessen, mich nach dem wichtigen Gerichtstermin zu erkundigen, den Philipp an dem Tag gehabt hatte.

Zugegeben, er hatte vor etlichen Wochen einmal angedeutet, dass es für seine Karriere von Vorteil wäre, wenn Iris Berben den Prozess gegen ihren Friseur gewinnen würde. Der hatte ihr eine Dauerwelle verpasst, mit der sie aussah wie Michael Jackson, als der noch mit den Jackson Five sang. Und sie hatte sich daraufhin nicht getraut, einen Fernsehpreis in Empfang zu nehmen, den dann statt ihrer Hannelore Elsner bekam.

Gut, ich gebe zu, ich hatte versäumt, danach zu fragen. Oder genauer: Ich hatte die Sache komplett vergessen. Aber Philipp ist selber schuld. Er schafft es einfach nicht, mir zu vermitteln, was ihm wirklich wichtig ist. In seinem Bemühen, männlich und überlegen und unaufgeregt zu wirken, klingt aus seinem Munde alles unwichtig. Aus meinem hingegen klingt alles wichtig – was eine Gewichtung zugegebenermaßen auch erschwert.

«Philipp», sagte ich vorwurfsvoll, «du erzählst einfach zu wenig von dir.»

«Was soll ich denn erzählen? Das, was ich zu sagen habe, kenne ich doch alles schon.»

Ich glaube, damit ist alles gesagt über die tiefe Kluft zwischen den Geschlechtern.

Philipp, auch das hatte ich schnell gemerkt, gehört zu der Sorte Mann, die nach der Arbeit Zeit für sich braucht.

Das hat sich mir, ehrlich gesagt, nie erschlossen. Wozu braucht denn einer Zeit für sich, wenn er stattdessen Zeit mit mir verbringen kann? Wozu in Ruhe Zeitung lesen, wenn ich doch bereit bin, alle wichtigen Ereignisse des Tages anschaulich und detailliert zu berichten und noch dazu zu kommentieren?

Ich kenne viele Männer, die Zeit für sich brauchen – und wenig Frauen, die dafür Verständnis haben. Was meistens dazu führt, dass der Mann in der Stunde, in der er Zeit für sich haben will, mit seiner Frau zankt, weil die keine Stunde Zeit für sich haben will.

Philipp und ich, das war uns sehr bald klar, passten überhaupt nicht gut zusammen. Und ich wertete das als viel versprechend. Ich meine, wenn einer so ist wie ich, kann ich ja auch alleine bleiben. Dann würde ich ja gar nicht auffallen.

Ich halte nicht viel von Harmonie. Völlig überbewertet. Genauso wie Ausgeglichenheit, Gelassenheit und Diskussionsfähigkeit. Dass Philipp und ich niemals ein harmonisches Paar abgeben würden, war eigentlich im ersten Moment unseres Kennenlernens sicher: Wir standen eine Weile sprachlos vor dem schmelzenden Briefkasten, in dem meine Liebespost an Honka verschmorte. Wir wärmten unsere füreinander schlagenden Herzen daran wie an einem prasselnden Kaminfeuer, und ich war mir der ungeheuren Romantik und Intensität des Augenblicks völlig bewusst, als Philipp von Bülow sich räusperte, sein Handy rausholte und sagte: «Ich werde dann jetzt mal die Polizei rufen. Wenn Sie möchten, kann ich Sie ja in dem Schadensersatzprozess vertreten. Ich denke, ich kriege Sie da ohne Vorstrafe raus. Mit einer empfindlichen Geldbuße müssen Sie allerdings rechnen.»

Ich schaute ihn strahlend an. Was redete der Mann denn da? Merkte er denn nicht, dass gerade etwas unglaublich Wunderbares geschah? Egal, dachte ich, Hauptsache einer merkt es. Ich war mir meiner Sache sehr sicher und sagte: «Ach, wissen Sie, wir sollten das auf meine Weise regeln. Lassen Sie uns einfach gehen.»

Und dann hakte ich mich bei ihm ein, und er widerspricht mir bis heute nicht, wenn ich sage, dass wir seit jenem Augenblick ein Paar sind.

Als ich am nächsten Morgen aufwachte – sehr früh, denn immer, wenn es mir besonders gut oder besonders schlecht geht, wache ich sehr früh auf –, hatte ich erst richtig Gelegenheit, den Mann zu betrachten, der mir da so unerwartet über den Weg gelaufen war.

Wir hatten selbstverständlich die Nacht zusammen verbracht, weil die Schicksalhaftigkeit unserer Begegnung jedes Taktieren, jede Spielerei, jedes Warten bloß um der Coolness willen überflüssig gemacht hätte.

Ich weiß noch, wie überraschend und angenehm ich es fand, zur Abwechslung mal neben einem Mann aufzuwachen, den man gerne auf leeren Magen anschaut.

Viele Menschen, natürlich nicht nur Männer, bieten in den frühen Morgenstunden ja keinen schönen Anblick. Da hält man lieber die Augen geschlossen, bis der Angebetete im Bad war, wenn man ihn weiterhin anbeten möchte.

Als Philipp an unserem ersten Morgen aufstand, freuten sich meine Augen. Er ist wesentlich größer als ich, was allerdings keine Kunst ist. Sein Haar ist dunkelblond und sehr fein und sehr glatt, sodass es ihm beim kleinsten Windhauch in die Augen fällt. Wie bei Tom Cruise in «Mission Impossible 2».

Schon allein für seine Nase hätte Philipp das «von» verdient, weil sie sehr aristokratisch gekrümmt aus seinem schmalen Gesicht hervorragt. Er hat helle Haut, und wenn er unrasiert ist, sieht er bereits nach einem Tag irgendwie aufregend zwielichtig aus, so als würde er in einem Hinterhof Geschäfte mit Elektroartikeln machen, die beim Transport vom Lkw gefallen sind.

Philipp hat braune Augen. Schnelle Augen, die meist unterwegs sind, wie ein Rüde beim Spaziergang um den Block, um alles möglichst gleichzeitig zu erfassen.

Mein Philipp ist schlank, aber nicht dünn, hat lange Finger und lange Zehen und – Gott sei Dank – einen Hintern, der diesen Namen verdient.

Es gibt ja leider viele Männer – arme Kreaturen! –, die so aussehen, als hätten sie ihren Arsch zu Hause vergessen. Die in Jeans wirken, als ginge der Rücken in gerader Linie in die Oberschenkel und dann in die Kniekehlen über. Und das, wo doch laut Umfragen Frauen den Männern zuerst auf den Po schauen. Oftmals ein Blick ins Leere.

Es gibt eigentlich nichts, was ich an Philipps Äußerem auszusetzen habe. Nun, seine Unterarme sind vielleicht nicht ganz so stark behaart, wie ich es gerne hätte, und die kleine Haarinsel auf seiner Brust gleicht eher einer von der Flut bedrohten Hallig. Aber man kann nicht alles haben, sage ich immer. Was natürlich nicht heißt, dass ich im Grunde genommen nicht doch gerne alles hätte. Mit Philipps Aussehen war ich sehr zufrieden, von Anfang an. Mehr Sorgen, ich habe das bereits angedeutet, bereitete mir sein Charakter. Juristen sind ja meist mühsame Menschen. Sie sind es gewohnt, Recht zu haben, und wenn sie nicht Recht haben, dann tun sie einfach sehr überzeugend so, als hätten sie Recht.

Ich hingegen zweifle gerne und ausdauernd an mir. Und eigentlich kommt keiner von uns jemals auf die Idee, dass ich bei einer Meinungsverschiedenheit Recht haben könnte. Das führt ab und an zu kuriosen Verwicklungen.

«Du, Philipp», sagte ich, nachdem ich bereits vier Monate lang in seiner Berliner Wohnung Wochenendgast war und mich dort gut auskannte, «was, glaubst du, sind das für komische Dinger da an der Decke?»

Philipp warf einen flüchtigen Blick nach oben und runzelte die Stirn: «Püppchen, mach dir darüber keine Gedanken.»

Philipp sagt häufig, ich solle mir keine Gedanken machen. Aber das ist leichter gesagt als getan.

Am nächsten Wochenende waren die seltsamen Dinger an der Decke mehr geworden. Ich stieg auf einen Stuhl, um sie näher betrachten zu können. Es war widerlich.

«Philipp», sagte ich bei nächster Gelegenheit, «das da an deiner Decke sind kleine Maden. Und ich glaube, es werden mehr.»

Philipp schaute diesmal etwas länger nach oben, sah mich mitleidig an und sagte geduldig: «Puppe, die Maden kriechen an der Decke in Richtung Fenster. Das ist ein gutes Zeichen. Die wollen hier raus, weil sie nichts zu fressen finden.»

Ich dachte, dass das wohl der größte Blödsinn ist, den ich je von einem Menschen mit Abitur und Studium vernommen habe, aber ich sagte bloß: «Mmmmh. Wenn du meinst.»

Es ist wirklich nicht leicht, einem Juristen zu erklären, dass er Unsinn redet – und schon gar nicht, wenn man selbst nur abgebrochene Kunsthistorikerin ist.

Während sich Philipp im Bad für den Samstagseinkauf zurechtmachte, zweifelte ich noch ein wenig an seiner Aussage, betrachtete die ekelhaften Dinger über meinem Kopf und machte mich auf die Suche.

Ich wurde fündig, als sich Philipp gerade mit seiner neuen Pavoni-Maschine einen Cappuccino machte: Die Pinienkerne in Philipps Küchenschrank hatten sich in einen zuckenden Klumpen verwandelt. Entgegen Philipps Theorie schienen es sich die Maden hier recht gut gehen zu lassen.

Statt mir dankbar zu sein, dass ich seine Wohnung vor einer Maden-Invasion gerettet hatte, dass ich mich sogar bereit erklärte, das Nest des Bösen mit Sagrotan auszuheben, war Herr Dr. jur. von Bülow ein wenig ... nun ja: angepisst.

Nicht nur dass er Maden hatte – er hatte auch noch Unrecht. Das reduzierte seine Laune ein ganzes Wochenende auf ein kaum erträgliches Minimum. Und als ihm am Sonntagabend eine Made, die ich bedauerlicherweise übersehen hatte, von der Decke direkt in seine Trüffel-Ravioli fiel, dachte ich, das Ende unserer Beziehung würde nahen.

«Das findest du wohl auch noch lustig, oder was?», raunzte er.

Leider musste ich lachen.

Nun ja. Der Abend endete damit, dass ich Hund, Handy und Zahnbürste unter den Arm nahm und die Nacht heulend bei meinem Friseurfreund Burgi auf dem Sofa verbrachte.

«Männer empfinden Kritik als Majestätsbeleidigung», sagte Burgi und kraulte mir fürsorglich den Nacken. «Gib ihm einfach das Gefühl, dass er ein Gott ist, und du wirst keine Probleme mehr mit ihm haben.»

Burgi heißt eigentlich Burkhard Ginster und ist sehr schwul und ziemlich wohlhabend. Neben Udo Walz ist er der gefragteste Friseur der Hauptstadt. Und da Bente Johannson schon zu Udo geht, entschied ich mich für Burgi. Nichts wäre schrecklicher für mich, als durch Klemmen im Haar bis zur Unkenntlichkeit entstellt, unter einer Trockenhaube zu sitzen und den frohlockenden Ruf zu hören: «Pippi! What a lovely surprise! Das hätte ich nie gedacht, dass du so viel Geld für deine Frisur ausgibst.»

Bei Burgi fühle ich mich sicher. Ich finde es irre chic, einen Friseur in Berlin zu haben.

Ich kenne Burgi nun fast so lange, wie ich Philipp kenne. Und ehrlich gesagt – jede Frau, die den richtigen Friseur gefunden hat, wird mich verstehen –, wüsste ich nicht zu sagen, welcher von beiden der wichtigere Mann in meinem Leben ist.

Burgi ist mir wirklich ein guter Freund. Er ist so dramatisch veranlagt wie ich. Er ist ein Mädchen, was seine Gefühle anbelangt, aber vom Kopf und seinen Gelüsten her ist er eben doch ein Mann. Sehr lehrreich.

Natürlich und unglückseligerweise ist Burgi ein großer Fan von Philipp. Irgendwie sind viele Menschen Fans von Philipp. Viele fühlen sich durch seine scheinbar genetisch bedingte Arroganz eingeschüchtert. Und weil sie glauben, jeder, der sie schlecht behandelt, sei was Besseres als sie, buhlen sie darum, von ihm gut behandelt zu werden. Frauen lieben an ihm diesen überzeugenden Ihr-interessiert-mich-alle-nicht-im-Geringsten-Blick. Halten ihn automatisch für begehrenswert, so wie sie jeden Satz, den er von sich gibt, für intelligent halten, bloß weil sie ihn nicht ganz verstehen.

Männer haben Respekt vor ihm, weil er viel verdient. Und Schwule verzehren sich nach Philipp, weil ihm sein Haar so dekorativ in die Stirn fällt und er überhaupt nicht tanzen kann. Das finden sie männlich. Und das geht mir, ehrlich gesagt ähnlich.

Männer, die tanzen können, sind keine Herausforderung. Genauso wenig wie Männer, die ihre Gefühle artikulieren, sich den Geburtstag ihrer Mutter merken und gut singen können. Nein, solche sind mir unheimlich. An denen kann man nicht mehr rumerziehen, die braucht man nicht verändern, die kann man nicht beschimpfen, die kann man nicht gezielt verachten zwecks Wiederaufrichtung des eigenen Selbstbewusstseins. Ich würde mich sehr, sehr langweilen mit einem Mann, der so ist, wie ich ihn mir wünsche.

Burgi und ich mögen den gleichen Typ Mann. Oft bringe ich ihm Fotos mit: Philipp mit aufgeknöpftem Hemd an eine kalifornische Palme gelehnt, Philipp in Shorts im türkisfarbenen Wasser der Costa Smeralda stehend. Philipp im Brioni-Dreiteiler vor seinem Schreibtisch eine Hand beschützend um die Schultern von Thomas Gottschalk gelegt.

Burgi sammelt schöne Männer. Und für jedes Foto bekomme ich eine Kopfmassage gratis. Mmmhhhhm.

Philipp hat natürlich keine Ahnung, dass mein Friseur ihn verehrt. Wohlmöglich würde das sein Selbstbewusstsein noch steigern – und das ist nun wirklich etwas, was ich dringend vermeiden möchte.

6:35

Scheint es mir nur so, oder haben Männer tatsächlich wesentlich weniger Probleme als Frauen? Ich glaube, wenn es keine Frauen gäbe, hätten Männer gar keine Probleme.

Ich fahre durch das schlafende Berlin und wünsche mir, ich wäre ein Mann. Vielleicht kann ich, zumindest für eine Weile, einfach so tun.

Zehn Gründe, ein Mann zu sein:

1. Ich könnte endlich aufhören, meine Beine zu rasieren oder immer neue Techniken auszuprobieren, die mir nur schlimmen Juckreiz und fiese Pusteln bescheren.
2. Ich würde mitten im Streit aufstehen, joggen gehen, nach einer Stunde aufgeräumt wiederkommen und fröhlich fragen: «Und, Schatz, hast du dich inzwischen abgeregt?»
3. Ich würde mitten im Streit aufstehen, mich an einen beliebigen Tresen setzen, mir von einer beliebigen Frau sagen lassen, wie toll ich bin, um sicherzustellen, dass ich die Schuld nicht bei mir suchen muss.

4. Ich müsste nicht vor jeder Gala-Veranstaltung stundenlang überlegen, was ich anziehen soll, und drei Tage vorher aufhören, feste Nahrung zu mir zu nehmen.
5. Ich würde bis tief in die Nacht mit meinem besten Freund Billard spielen und ihm nicht erzählen, dass ich heute meinen Job verloren habe.
6. Ich würde immer denken, dass ich Recht habe.
7. Ich würde immer denken, dass ich nicht zu dick bin.
8. Ich würde immer denken, dass Frauen unverständige und im Grunde unverständliche Wesen sind.
9. Ich würde Probleme lösen, statt nur über sie zu reden.
10. Ich würde um meinen Kummer nicht viele Worte machen und lieber ein paar Bierchen mehr trinken.

Auch ich werde meinen Kummer diesmal mit mir alleine ausmachen. Ich werde diese eigenartige Variante der Problembewältigung ausprobieren. Ich werde nicht sofort meine drei besten Freundinnen anrufen, diverse Meinungen einholen, um mir dann, eventuell, eine eigene zu bilden. Ich werde ruhig und besonnen handeln, mich zurückziehen, auf einer langen Autobahnfahrt meine Mitte erspüren, meine Gedanken ordnen und dann an einer Raststätte halten, um zwecks Stärkung meines Egos mit einem gut gebauten Fernfahrer zu schlafen.

Männer schlafen auch immer mit irgendwelchen Frauen, wenn sie sich mies fühlen. Und Männer können Papst werden und Präsident der USA und Chef von Daimler-Chrysler.

Verdammt, die Jungs müssen irgendwas richtig machen.

Kann ich auch.

Bin lonely Rider.

Wortkarg.

On the road.

Löse meine Probleme ganz allein. Werde niemanden anrufen …

6:36

«Hrrrmpphhhhhwasssnnhmmmhä?»

«Ibo, ich weiß, es ist verdammt früh, aber es ist sehr dringend.»

«Pfffhhhhh?»

«Bitte wach auf! Halloo! Ibo!»

«Mmmhspspinnstndu?»

«Es ist wirklich wichtig. Es ist nämlich, weißt du … weil … Ich habe gerade … ich habe gerade Philipp verlassen.»

Ihr Schlaf ist Ibo heilig, aber ich merke, wie sie hellwach wird. Sehe vor mir, wie sie sich in ihrem Bett aufsetzt, die Haare struppig, Make-up-Reste auf Gesicht und Kopfkissen verteilt, Wollsocken an den Füßen. Ibo friert auch immer so wie ich und schläft das ganze Jahr über mit Socken und von September bis Mai zusätzlich mit einem wollenen Nierenwärmer.

Ja, auf meine Freundin Ingeborg ist Verlass.

Ich höre sie sagen: «Och, Puppe, schon wieder? Ruf mich in vier Stunden nochmal an. Dann bin ich wach und ihr seid bestimmt schon wieder zusammen.»

Aufgelegt.

Hä?

«Ibo?»

Aufgelegt?

Ich schaue verdutzt mein Handy an. Ist es leer? Spontane Entladung? Kaputt? Oder was?

Nichts dergleichen.

Ich muss rechts ranfahren, um mich zu sammeln. Ich werfe einen Blick auf Marple, die auf dem Beifahrersitz liegt und mich wie immer melancholisch anschaut.

Mir kommen die Tränen, weil ich, wie so oft, mein Schicksal schlimm und mich selbst ungerecht behandelt finde.

«Marple», flüstere ich tragisch, «jetzt sind wir ganz auf uns allein gestellt.»

Ich finde, das Gute an mir ist ja, dass ich zwar zu melodramatischen Überreaktionen neige, mir darüber aber jede Sekunde absolut bewusst bin – was ich selbstverständlich niemals zugeben würde. Ich inszeniere meine Gefühls-Opern gern sehr bewusst und, wie ich finde, sehr gekonnt. Und ich mag es gar nicht, wenn man mich dabei unterbricht. Während ich schluchzend meine Sachen packe oder das Gesicht in meinen bebenden Händen vergrabe oder mit italienischem Feuer zwei, drei Gläser vom Tisch fege, sagt Philipp gerne mal so Sachen wie:

«Jetzt atme doch erst mal tief durch.»

Oder: «Du willst dich doch partout aufregen.»

Oder: «Jetzt hör doch mal auf mit dieser Show!»

Das ist so, als würde einer im Theater bei der Schlussszene von «Romeo und Julia» aufstehen und dann laut Richtung Bühne rufen:

«Also, Leute, jetzt mal den Ball flach halten, ja.»

Es stört mich, wenn man meine Gefühlsübertreibungen nicht

ernst nimmt. Ich gebe mir dabei schließlich Mühe. So ein Können, das fällt ja nicht vom Himmel.

Gut, ein bisschen Talent habe ich schon geerbt. Von meiner Mutter, von der ich auch meinen kleinen Wuchs, meine Neigung zu runden Hüften, meine braunen Augen und meine Liebe zu fetthaltigen Speisen habe.

Meine Mama ist wirklich sehr emotional. Erst kürzlich hat sie wieder mal das Ehebett zersägt, weil sie sich von ihrem Mann nicht richtig ernst genommen fühlte. Man muss dazu sagen, dass mein Vater eine Seele von Mensch ist. Ruhig, besonnen, sehr westfälisch. Lothar Sturm, ein Fels in jeder Brandung. Aber wenn es ihm zu bunt wird, dann geht er einfach ein paar Stunden Fahrrad fahren.

«Olga», sagt er, wenn sie mal wieder schimpft und mit Scheidung droht, «ich geh ein wenig vor die Tür. Du kannst dich doch genauso nett mit mir streiten, wenn ich nicht dabei bin.»

Und wenn er wiederkommt, ist zwar meistens irgendwas kaputt, aber meine Mutter in der Regel wieder friedlich.

Ich darf mich zu dieser frühen Stunde also nicht wundern, dass Ibo den Ernst der Lage nicht erkennt. Woher soll sie auch wissen, dass es diesmal kein Zurück gibt? Wie soll sie ahnen, dass diese Trennung endgültig ist, wo es die letzten drei doch auch schon waren? Bestimmt geht sie davon aus, dass sich auch dieser Sturm in Kürze legen wird und es am besten ist, so lange in Deckung zu bleiben. Ich darf ihr diese Reaktion nicht übel nehmen. Wenn ich Ibo später alles in Ruhe erzähle, wird sie beschämt sein, um Verzeihung bitten, dass sie mich in dieser schweren Stunde allein gelassen hat. Und ihre Reue wird mir Trost genug sein.

Außerdem, fällt mir an dieser Stelle ein, wollte ich ja eigentlich sowieso mit meinem Schmerz allein sein.

Ich fahre am Hotel Adlon vorbei. Hier durfte ich mit Philipp mal einer Filmparty beiwohnen. Stellte dabei fest, dass ich zu dick bin und Russell Crowe kaum größer ist als ich. Habe seither fünf Kilo abgenommen, um mich in die Welt des Glamours runterzuhungern und so morgen Abend alle in meinen kleinen Schatten zu stellen.

Toll.

Drei Monate Disziplin.

Joggen mit Pulsuhr am Morgen.

Salat ohne Öl am Abend.

Dazwischen viel Obst und keine Schokolade.

Und wozu die ganze Tortur? Alles umsonst.

Morgen um 20 Uhr 15 werden alle Augen auf Berlin gerichtet sein. Aber mich wird keiner sehen. Die Bambi-Verleihung – laut Einladung die «bedeutendste deutsche Auszeichnung, die an nationale und internationale Stars aus Kino und Fernsehen verliehen wird» – muss ohne mich stattfinden.

6:50

Ich fahre am Prenzlauer Berg vorbei Richtung Autobahn.

Ein Niemand fährt Richtung Niemandsland.

Irgendwo in Berlin-Mitte, in einer gerade sehr angesagten Boutique namens «Das schöne Leben» hängt ein enges, purpurrotes Abendkleid mit einem Rückenausschnitt bis zum Po. Der Stoff ist mit goldfarbenem Glitzer durchwirkt, perfekt passend zu meinen kastanienfarbenen Haaren, meinen dunklen Augen und den goldenen Sandaletten, die hinten im Kofferraum liegen. Mein Traumkleid musste ein bisschen gekürzt werden, klar, das bin ich bei meiner Größe gewohnt. Aber es musste um die Hüften herum auch noch zwei Zentimeter enger gemacht werden – und so was hatte ich noch nie erlebt.

«Du kannst es am Samstag Nachmittag abholen», hatte der Verkäufer gesagt. Und noch flötend hinzugefügt: «Chérie, egal, wohin du damit gehst, du wirst die Schönste sein.»

Morgen wollte ich endlich mal so schön sein wie nie zuvor. Ich wollte über den roten Teppich schweben. Wollte, dass Philipp stolz auf mich ist. Wollte, dass Boris Becker mich in einer Abstellkammer belästigt, dass sich Claudia Schiffer bei meinem Anblick beschämt in ihre Garderobe zurückzieht, dass George Clooney den Veranstalter nach meiner Telefonnummer fragt und Bente Johannson, die Blödziege, nach Belgien auswandert, um dort mit Margarethe Schreinemakers jeden Morgen verkniffen durch die Ardennen zu joggen.

Philipp hat mir, das muss ich zugeben, nie das Gefühl gegeben, dass er nicht stolz ist auf mich. Wenn ich mich bei einer Gala deplatziert fühlte, war ich immer selbst schuld an diesem Gefühl.

Philipp sagt immer: «Die Leute lieben dich, weil du der einzig normale Mensch bist auf solchen Veranstaltungen.»

Aber ich finde, das ist kein guter Grund, geliebt zu werden.

Sonntag.

Bambi-Tag.

Und mein zweiunddreißigster Geburtstag.

Sonntag sollte mein Ehrentag sein und mein Durchbruch als Diva. Stattdessen verlässt Amelie Puppe Sturm tief verletzt die

Welt der Stars, bevor auch nur einer gemerkt hat, wie toll sie eigentlich ist.

6:59

Autobahnauffahrt. Schrebergärten rechts und links. Es ist ein herrlicher Sonnentag. Der laue Wind weht mir ins Gesicht, zerwühlt meine Haare so zärtlich, wie mein Vater es früher tat, wenn er mir auf seine unbeholfene Art zeigen wollte, wie sehr er mich liebt.

Radio Berlin spielt «Just the two of us» von Bill Withers:

Darling, when the morning comes
And I see the morning sun
I want to be the one with you
Just the two of us
We can make it if we try
Just the two of us
you and I

Ich denke an Tom Bisping, der mich verließ, als ich siebzehn war. Ich hatte nicht erwartet, diesen Schicksalsschlag zu überleben. Stundenlang habe ich dieses Lied gehört, weil es unser Lied war, weil es so ganz besonders wehtat, dieses Lied zu hören, und weil man, wenn man mit siebzehn Liebeskummer hat, all das tut, was ganz besonders wehtut.

Good things might come to those who wait
Not to those who wait too late
We got to go for all we know.

Jetzt bin ich fast zweiunddreißig. Und mein Herz hat immer noch keine Hornhaut.

To make those rainbows in my mind
when I think of you some time.

Es tut immer noch ganz besonders weh.

Wie beim ersten Mal.

Ein Sommermorgen im Cabrio.

Die Liebe mal wieder hinter mir.

Keine Ahnung, wohin.

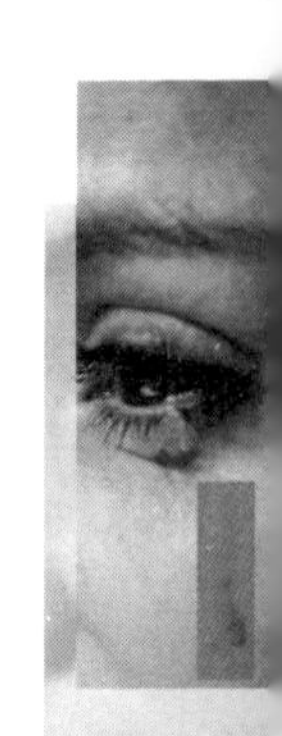

7:00

We look for love, no time for tears …

Und was tut Amelie Puppe Sturm?

Sie weint.

Ich denke schon, man kann sagen, dass Philipp und ich uns gegenseitig ganz neue Welten eröffneten. Für ihn, der sein Leben lang bedient wurde – erst von seiner Mutter, später von seiner ersten Frau, dann von seiner Sekretärin –, war es recht interessant, den Blickwinkel einer professionellen Bedienung kennen zu lernen. Zumal ich ja nicht bediene, sondern meine Gunst gewähre. Ich übersehe Gäste, die mir nicht gefallen. Solche, die «Hallo!» rufen oder mit einer Münze auf den Tisch klopfen, können lange warten. Und wen ich partout nie wiedersehen will, dem verbiete ich zu zahlen.

«Ich suche mir meine Gäste sorgfältiger aus als du dir deine Klienten», hatte ich Philipp gesagt. Und als er zum ersten Mal nach Hamburg kam, um mein Himmelreich zu besichtigen, war er, glaube ich, wirklich beeindruckt.

Das Café Himmelreich ist aber auch wunderschön. Ein großer Raum, mit Stuck verziert, mit deckenhohen Fenstern, Jugendstilsäulen und roten Lederbänken.

In der Weihnachtszeit dekoriere ich das Café mit meiner einmaligen Kollektion von Lichterketten und einem Drei-Meter-Tannenbaum mit roten Schleifen und goldenen Kugeln. Und draußen vor dem Eingang steht ein beleuchteter Weihnachtsmann, der winkt und «Ho Ho Ho» ruft, wenn jemand vorbeigeht.

Geöffnet haben wir von zehn bis zehn. Sonntags gibt es das beste Brunch-Buffet der Stadt, mit gefüllten Pfannkuchen, frischen Waffeln, Krabbenrührei, Lachspastete und Kaviar-Kartoffelsalat.

Am meisten liebe ich den Mittag im Himmelreich. Um diese Zeit kenne ich fast jedes Gesicht und manche Geschichte dazu. Einige Gäste wollen bloß ungestört Zeitung lesen und bedanken sich mit einem Lächeln, wenn ich ihnen ungefragt den Espresso bringe, den sie nicht bestellt, sich aber gewünscht haben. Ach, es ist schön im Himmelreich. Ingeborg und ich sind ein perfektes Team. Sie sorgt dafür, dass der Laden läuft, und ich sorge dafür, dass er dabei gut aussieht. Wir haben inzwischen vier Angestellte, sodass die Damen Himmelreich und Sturm nur noch in Ausnahmefällen am Wochenende arbeiten müssen.

Freitagmittag fahre ich in der Regel nach Berlin, Montagmorgen zurück nach Hamburg.

In Philipps Wohnung musste ich es mir erst mal gemütlich machen. Sie sah aus wie die Behausung eines gut verdienenden Junggesellen, dem sein Büro wichtiger ist als sein Wohnzimmer. Zwar äußerst geschmackvoll eingerichtet, aber meiner Meinung nach entsetzlich minimalistisch. Hier eine Art-déco-Lampe, dort ein Marktex-Sofa, im verglasten Bücherschrank viele Biographien und einige Erstausgaben von Benn und Musil. Ich habe Philipp geraten, sein Schrankzimmer mit einem extra Vorhängeschloss gegen Einbrecher zu sichern, ebenso das Badezimmer.

Als Philipp zum ersten Mal bei mir zu Hause seinen Kulturbeutel auspackte, brach mir der kalte Schweiß aus.

«Ich muss meine Hausratsversicherung aufstocken», murmelte ich erschrocken beim Anblick seiner Clarins-Kollektion und des Rasiersets in Sterlingsilber.

Mittlerweile, das muss ich allerdings zugeben, hat sich durch Philipps Einfluss und Beratung der Wert meiner Garderobe und Kosmetikausrüstung ebenfalls drastisch erhöht. Ich sage euch, das macht keine lange mit, im Marmorbad neben dem Liebsten zu stehen, der sich gerade das Gesicht mit einem hundertsechzig Mark teuren Reinigungs-Mousse einschäumt, und selbst die Make-up-Reste mit einem seifenfreien Waschstück zu entfernen.

Seit ich Philipp kenne, haben sich mir ganz neue Shopping-Welten erschlossen, an denen ich bisher achtlos vorbeigegangen war. Trotzdem husche ich immer noch gerne bei H&M rein, um auf die Schnelle zwei Kilo Klamotten zu kaufen. Ja, ich habe es nicht verlernt, durch die einfachen Dinge des Lebens Glück zu empfinden. Mir geht auch nach wie vor nix über Kartoffelrahmsuppe aus der Dose, Bifteki vom Griechen für DM 13,90 und Fritten rot-weiß. Bloß Tüten-Parmesan, den kriege ich nun wirklich nicht mehr runter.

Ich finde, dass ich für Philipps Leben eine Bereicherung darstelle. In seiner Wohnung zum Beispiel habe ich viel mit Lichterketten und bunten Hinstellerchen gearbeitet, um es uns behaglich zu machen. Zwischen Küche und Flur dekorierte ich dann noch einen Glasperlenvorhang in Pink-Rosa-Blau, der, nach meinem Empfinden, einen wirklich interessanten Kontrast zu der Edelstahl-Optik der Bulthaupt-Küche bildet. Das war eine Überraschung, als Philipp an dem Abend aus dem Büro kam!

Er kann seine Freude manchmal nicht so zeigen, aber ich weiß, er ist im Grunde seines Juristen-Herzens sehr gerührt, dass ihm endlich mal jemand ein bisschen Farbe ins Leben schleppt. Auch wenn es nicht unbedingt seine Lieblingsfarben sind.

Philipps Schlafzimmer – kalkweiße, kahle Wände, weißes Bett, weiße Makosatin-Bettwäsche – wirkt schon deshalb mittlerweile gemütlicher, da immer etliche meiner Kleidungsstücke auf dem Boden herumliegen, mein Kuschelkissen sonnengelb ist und ich Philipp bestimmt einmal im Monat ein neues Stofftier schenke.

«Freu dich doch, denn vor mir hast du in einem Schwarzweiß-Film gelebt», habe ich ihm mal gesagt.

«Ja, und noch dazu in einem Stummfilm», war seine Antwort.

Es ist richtig, dass ich viel rede. Das liegt aber daran, dass ich so viel zu sagen habe.

Wenn ich mal nichts sage, dann meist

in Situationen, wo Kommunikation dringend erforderlich ist und zum guten Ton gehört. Es wird langsam besser, aber anfangs machten mir Philipps Celebrity-Freunde schon etwas zu schaffen. Ich neige dazu, Menschen, die ich aus dem Fernsehen kenne, anzustarren, aber nicht anzusprechen. So wie ich es von der Glotze gewohnt bin. Wenn ich RTL gucke, sage ich ja auch nicht: «Guten Tag, Sascha Hehn, schön, Sie kennen zu lernen.» Nein, ich glotze und schweige. Übrigens bin ich oft enttäuscht, wie sehr die Realität einen Menschen verunstalten kann.

Til Schweiger: Meine Körpergröße!

Veronica Ferres: ein Mondkalb!

Katja Riemann: Ausstrahlung wie ein Brotmesser!

Johannes B. Kerner: genauso fad wie im Fernsehen!

Hape Kerkeling: dicklich und schüchtern – eine von uns!

Obwohl, nein, schüchtern bin ich eigentlich nicht. Ich bin es bloß nicht gewohnt, einen guten Eindruck machen zu müssen. Das hemmt mich irgendwie – zumal ich den Eindruck ja nicht für mich, sondern für Philipp schinden muss, für den es bei solchen Veranstaltungen ums Prestige geht. Nicht auszudenken, wenn ich ihm durch unpassende Bemerkungen oder schlechte Witze auf Kosten von anderen – meine Spezialität – die Kundschaft vergraulen würde. So blieb mir eben so manches derbe Scherzwort in der Kehle stecken und wurde dort zu einem hinderlichen Klumpen.

Und wenn ich dann doch was sagte, ungern erinnere ich mich an eine Videopreis-Verleihung, brachte ich mich nicht selten in ganz besonders unangenehme Situationen.

Eine kleine Gruppe, zu der bedauerlicherweise auch ich gehörte, stand um die Frau von Michael Schumacher rum. Die erzählte, dass ihr Mann manchmal noch ganz irre spontan Blumen mitbringen würde. Wahrscheinlich die nutzlosen Dinger, die er bei Siegerehrungen immer in die Hand gedrückt bekommt, dachte ich, sagte es aber klugerweise nicht. Stattdessen nahm ich Corinna Schumachers Bemerkung zum Anlass, einen lustigen Witz zu erzählen:

«Sagt die eine Frau: ‹Du, mein Mann hat mir Blumen mitgebracht. Da muss ich heute Abend wohl wieder die Beine breit machen.›

Sagt die andere: ‹Wieso, habt ihr denn keine Vase?›»

Corinna machte einen schnellen Abgang. Blödes Weib. Was ihr Mann an Kinn zu viel hat, hat sie an Humor zu wenig.

Ich schwöre, mit Ibo hätte ich mich auf dieser Verleihung kaputtgelacht. Wir hätten gelästert, dass die Schwarte kracht. Über Mutter Beimer, die aussieht wie eine Litfaßsäule. Darüber, dass ich mich beim Anblick von Franka Potente freue, dass Erfolg mittlerweile auch ohne gutes Aussehen zu haben ist. Und dass ich Hella von Sinnen schon allein dafür liebe, dass sie dicker ist als ich und trotzdem gute Laune hat.

Mit einem Mann kann man nicht gut lästern, schon gar nicht, wenn er in einer Runde mit anderen Männern steht. Dann empfindet er Klatsch als unter seinem Niveau. Er findet sowieso einiges in Gesellschaft als unter seiner Würde, womit er dann bereits im Taxi auf dem Weg nach Hause kein Problem mehr hat.

Dann darf man ihn auf einmal wieder bei seinem Kosenamen nennen, ihm den Nacken kraulen, bis er schnurrt. Ihm das Hemd aus der Hose zerren, um die Hand auf diese entzückende Stelle über dem Po zu legen, wo meist ein paar zarte, fast immer blonde Haare wachsen. Ihn nötigen, zuzugeben, dass die Frauen des Abends fast alle unappetitlich dürr waren, und ihn schwören lassen, dass es nur eine gibt, eine einzige Göttin, Geliebte von fulminanter Schönheit, von der er den ganzen langen Abend die Augen nicht abwenden konnte.

Ich bin stolz auf Philipp, wenn er sich weltmännisch im feinen Tuch und auf glänzenden Budapestern vor mir durch die Menge schiebt. Meine Hand hält, hier jemanden begrüßt, mich vorstellt, als «Besitzerin meines Herzens und des schönsten Cafés in Hamburg», ein paar kluge Sätze sagt zu Einschaltquoten, den Landesmedienanstalten und der diffusen Rechtslage, was die Wiederholung von Mehrteilern in synchronisierter Fassung angeht. Dann schwillt meine Brust um eine Körbchengröße, weil er mir so gut gefällt. Möchte am liebsten auf ihn deuten und eine kurze Durchsage machen: «Sehen Sie, meine Herrschaften! Vom Scheitel bis zur Ledersohle: alles meins!» Das ist Besitzerstolz.

Aber mein Herz geht auf, wenn sich Philipp von Bülow im Taxi die Armani-Krawatte lockert und fragt: «Meinst du, es kommt noch was im Fernsehen, Püppchen?»

Wenn er seine Nase an meinen Hals drückt, ganz tief einatmet und sagt, dass ich besser rieche als frisch zubereitetes Popkorn, als warmer Apfelkrapfen oder leicht gebräuntes Kartoffelgratin.

Wenn er sagt, dass er sich klammheimlich wieder kaputtgelacht hat über meine schlechten Witze, weil das eindeutig die besten des Abends waren.

Wenn er sagt, dass mein Hund Marple sympathischer aussähe als die meisten Preisträgerinnen.

Wenn er den Arm um mich legt und sagt: «Puppi, du hast wieder alle bezaubert mit deiner natürlichen Art.»

Dann lächle ich und denke: «Hmmmmm. Die natürliche Art werde ich mir schon noch abgewöhnen.»

7:35

Ich weine seit ungefähr zehn Kilometern nicht mehr.

Ich liege auf einem dieser Rastplatz-Tische, an denen Familien, die aus braunen Ford-Kombis quellen, gerne ihr Picknick machen.

Ob diese Menschen sich sonntagsmorgens sagen: «Du, Kurt, das Wetter ist so schön, lass uns doch mal wieder ein Picknick am Rastplatz Stolper Heide/Ost machen»?

Die Idylle hier ist eigenartig. Laster fahren dröhnend an mir vorbei. PKW sind um diese Zeit noch nicht viele unterwegs. Und ein brandenburgisches Rapsfeld macht sommermorgendliche Geräusche: Zikaden schrammeln, Amseln singen, ein Trecker rumpelt über einen Feldweg. Schon komisch, dass das Motorengeräusch eines Treckers für mich zur Gattung der naturnahen Geräusche gehört.

Ich schaue jetzt schon seit geraumer Zeit in den hellblauen Himmel, an dem sich die Vorboten für anhaltend schönes Wetter häufen: hoch fliegende Schwalben und einige scharf umrissene, schneeweiße Schäfchenwolken. Gut, ich bin klein, aber wenn ich so lange in den Himmel schaue, dann fühle ich mich auch klein. Aber gut klein. Aufgehoben. Behütet.

Marple geht mit sich alleine Gassi. Ich habe die Arme hinter meinem Kopf verschränkt und kaue auf einem Grashalm. Das tue ich, seit ich zwölf bin, «Tom Sawyer» gelesen habe und ein echter

Lausbub werden wollte, der immer, wenn er nachdenkt, auf einem Grashalm kaut und in den Himmel schaut.

Soll ich umkehren?

Ihn zur Rede stellen?

Ihn niederschlagen?

Kann das alles ein Missverständnis sein?

Spricht irgendetwas für Philipps Unschuld?

Habe ich überreagiert, wie es so meine Art ist?

Oder habe ich diesmal unterreagiert, weil ich den Schuft am Leben gelassen und statt seiner Existenz nur seine Anzüge ruiniert habe?

Bei meiner Uraltjugendfreundin Katharina Pütz wäre Philipp sicher nicht so glimpflich davongekommen. Kati fand vor drei Jahren heraus, dass ihr Freund, ein freiberuflicher Programmierer, seit einem halben Jahr eine Affäre hatte – und zwar mit seinem Bankberater! Daraufhin ließ sie sich ein Schaumbad ein mit der Geschmacksrichtung Fichtennadelöl – beruhigend und entspannend –, legte sich zwanzig Minuten ins heiße Wasser, rasierte sich die Beine, cremte sich sorgfältig ein, schwebte, nur mit einem Turban auf dem Kopf bekleidet, in sein Arbeitszimmer, nahm seinen Laptop und die Disketten mit den Sicherheitskopien, ging zurück ins Bad und versenkte alles im duftenden Fichtennadelöl-Badewasser.

Dann packte sie ihre Sachen und verschwand für immer aus seinem Leben.

«Gluck, gluck, gluck», sagt sie strahlend zum Ende der Geschichte, die sie immer wieder gerne erzählt. Mittlerweile ist sie mit einem Immobilienmakler verheiratet, der in Münster und

Umgebung hochpreisige Objekte vermittelt, hat eine Tochter und ein Verhältnis mit dem Junior-Chef ihres Mannes.

Wir telefonieren mindestens einmal im Monat, und immer, wenn ich meine Eltern besuche, sehe ich auch Kati. Wir sind beide in Hohenholte, einem Dorf bei Münster, aufgewachsen, und wenn wir uns wiedersehen, tun wir Dinge, die wir als junge Mädchen getan haben. Tun so, als sei die Zeit stehen geblieben. Gehen spazieren über die Felder, in denen wir als Dreizehnjährige gelegen, auf Grashalmen gekaut und von den Jungs zwei Klassen über uns geträumt haben. Halten unsere nackten Füße in ein Bächlein, in das mittlerweile wahrscheinlich sehr viel Abwasser geleitet wird. Sitzen abends auf der Terrasse meiner Eltern, denken daran, wie es war, dienstagabends «Dallas» zu gucken, mit der Angst vor dem Mittwoch und der Doppelstunde Französisch um acht.

Wir denken daran, wie schlecht wir beide in Latein waren, und dass ich bei Kati in Englisch abgeschrieben habe und sie bei mir in Mathe – allerdings meist die Fehler. Wir denken daran, wie oft wir Pädagogik und Kunst geschwänzt und stattdessen in einer Kneipe am Prinzipalmarkt mit dem Rauchen angefangen haben.

Kati und ich, wir haben zusammen zu Nenas «99 Luftballons» und zu «Depeche Mode» getanzt. Wir waren auf einem «The Cure»- und auf einem «Duran Duran»-Konzert, wir haben Michael Jackson live gesehen, als er noch seine naturgegebene Hautfarbe hatte. So was schweißt zusammen.

Wir sitzen auf der Terrasse, und wir reden und reden. Wir sind wie sechzehn, und irgendwann kommt meine Mutter zu uns raus, im Bademantel und mit unmöglichen Pantoffeln an den Füßen, streicht Katharina über den Kopf, gibt mir einen Kuss auf die Stirn und sagt:

«Gute Nacht, ihr beiden. Ich geh schlafen. Wann soll ich dich morgen wecken, mein Liebchen?»

Was soll ich bloß tun?

Soll ich nach Hause fahren?

Mit Katharina auf unserer Terrasse das weitere Vorgehen besprechen?

Soll ich vom nächsten Flughafen aus in den Süden aufbrechen, weil, wenn man schon unglücklich ist, es besser ist, dabei braun zu werden?

Marple bellt auf dem Rapsfeld ein paar Ossi-Maulwurfhaufen an. Ich schaue auf die Uhr. Habe ihn vor zwanzig Minuten angerufen. Hoffentlich kommt er bald.

Ich hatte die Stadtgrenze von Berlin gerade mal zehn Minuten hinter mir gelassen, da erschien mir das Alleinsein bereits unerträglich. Dreizehn Kilometer später weinte ich heftiger und versuchte, mich durch einen Wortbeitrag des Deutschlandfunks abzulenken.

Nach zwanzig Kilometern Schmerz und Pein, als ich auf dem Radiosender «Oldies but Goldies» in einen Beatles-Song reingeriet, war es um mich geschehen.

Yesterday
All my troubles seemed so far away
Now it seems as though they're here to stay
Oh I believe – in yesterday.

Ausgerechnet.

Ich fuhr auf die rechte Spur, wo ich mich sonst nie aufhalte, und setzte den Blinker.

Ob Philipp noch schlief?

Wusste er noch gar nicht, dass sich sein Leben verändert und er nichts mehr zum Anziehen hatte?

Why she had to go,
I don't know, she wouldn't say.

Ich fuhr raus auf den Rastplatz, hielt und riss mein Handy aus meiner Handtasche wie ein akut bedrohter Cowboy seinen Colt.

Bin kein lonely rider.

Bin bloß lonely.

Yesterday
Love was such an easy game to play,
Now I need a place to hide away,
Oh I believe in yesterday.

Ich stellte das Radio ab. Nix mit yesterday. Heute ist heute. Und heute ist ein Scheißtag. Und jetzt habe ich die Nase voll, das alles alleine durchzustehen. Zwei Stunden alleine sind Leistung genug für jemanden, der seine Sorgen üblicherweise im Sekundentakt an seinen interessierten Freundeskreis übermittelt.

«Hallo?», sprotze ich, von Tränen geschüttelt, ins Handy. «Du, es ist was passiert ... Ja, es ist wichtig, ich bin so unglücklich.»

Weinen. Schluchzen. Kurzes Sammeln.

«Kannst du kommen?»

Zitterndes Stimmchen. Bedürftig.

«Rastplatz Stolper Heide/Ost.»

Fiepen.

«Ist bloß fünfundzwanzig Kilometer weg. Auf der A10.»

Hoffnungsvoll.

«Ja? Danke!! Bitte beeil dich!!!»

8:10

«Endlich!»

Ich springe auf und winke Richtung des dunkelgrünen MGs, der langsam auf den Rastplatz rollt.

Mir kommen fast die Tränen, so froh bin ich, ihn zu sehen. Der MG hält.

Kennzeichen: B – BG – 2500.

BG, das steht für Burkhard Ginster.

2500 steht für seine Genital-Länge. 25 Zentimeter. Angeblich, der alte Blender. So klein, wie Burgi ist, würde der nach vorne kippen oder aussehen, als hätte er drei Beine, wenn das stimmen würde.

Er mag mit seiner Genitalgröße schwindeln, aber sonst ist auf meinen Freund und Friseur Burkhard immer Verlass.

Er steigt aus. Mit einem Picknickkorb in der einen Hand und einer Kühlbox in der anderen. Burgi trägt eine Schirmmütze mit der Aufschrift «Schlampe» und einen dunkelroten Kimono mit goldenem Drachen auf dem Rücken. Er sieht aus wie ein Heterosexueller, der sich an Karneval als Schwuler verkleidet hat.

«Ich liebe es, Klischees zu befriedigen und die Leute in ihren Vorurteilen gegenüber Homosexuellen zu bestätigen», sagt Burgi immer. Aber ich weiß es inzwischen besser. Auf Burgi treffen die Klischees schlicht und einfach zu. Er ist ein Schwuler wie aus dem Lehrbuch.

«Ich hab an alles Wichtige gedacht», sagt Burgi.
«Frühstück!» Er hebt den Picknickkorb.
«Champagner!» Er hebt die Kühltasche.
«Bloß zum Anziehen hatte ich keine Zeit mehr.»

8:20

Burkhard Ginster ist ein Mensch, der sich nicht konzentrieren kann, wenn die unmittelbare Umgebung seinen eigenwilligen Sinn für Ästhetik beleidigt.

Gerührt schaue ich Burgi zu, wie er aus dem Rastplatz Stolper Heide einen schönen Ort macht.

Er breitet eine weiße, mit rotem Klatschmohn bedruckte Tischdecke aus. Teller, Besteck, Leinenservietten. Eine Tupper-Box mit diversen Rohmilchkäsen, eine mit Roastbeef und Schweinebraten mit Kruste. Konfitüre, drei Sorten Brot, Croissants. Dazu ein Döschen Beluga Kaviar und zwei Flaschen Veuve Cliquot.

Ich war oft bei Burgi zu Hause, habe ihn zu den unmöglichsten Zeiten überfallen, wenn ich wegen einer Trennung von Philipp mal wieder kurzfristig eine Unterkunft brauchte. Ich habe ihn erwischt, wie er auf dem Sofa lag, Mon Cheri in rauen Mengen aß und dabei zum zwanzigsten Mal «Jentl» mit Barbra Streisand anschaute.

Ich mag den Film ja nicht so sehr gerne. Ist mir streckenweise zu bedrückend. Ich sehe nicht gern Filme, wo es mir nachher schlechter geht als vorher. Deswegen halte ich auch nichts von künstlerisch wertvollen Filmen ohne Happy End oder von künstlerisch wertlosen Filmen ohne Happy End. Dafür bin ich einfach zu sensibel. Ein unerwarteter Todesfall wie der von Shelby in

«Magnolien aus Stahl» (großartig übrigens die mürrische Shirley McLaine mit dem Satz: «Ich bin nicht verrückt – ich bin nur seit vierzig Jahren verdammt schlecht gelaunt»), eine unglückliche Liebe wie im «Englischen Patienten» (gute Güte, wie sie da in der kalten Höhle ohne Licht die letzten Sätze in ihr Tagebuch schreibt) oder auch unschuldig ermordete Tiere (wie der zutrauliche Wolf namens Socke in «Der mit dem Wolf tanzt», auf den die ruchlosen Soldaten ein Wettschießen veranstalten) – bei so was kann ich nicht an mich halten.

Schlimm ans Herz gehend auch die Szene in «Während du schliefst», wo Sandra Bullock an seinem Bett sitzt und sagt: «Warst du jemals in deinem Leben so einsam, dass du dich die Nacht über mit einem Mann unterhalten hast, der im Koma liegt?»

Einmal, Philipp war mit einem Haufen dröger Anwälte unterwegs, lag ich auf seinem großen Sofa rum, aß Low-Fat-Pringles und geriet beim Zappen in «Jenseits von Afrika».

Als Philipp nach Hause kam, dachte er, alle meine Freundinnen seien schwanger und hätten geheiratet, ohne mir Bescheid zu sagen.

Ich saß schluchzend auf dem Boden und konnte Philipp nur in Bruchstücken berichten, was geschehen war. Von der Farm am Fuße der Ngong-Berge. Von der Liebe zwischen Karen und Denys. Und wie er sagt: «Ich möchte nicht am Ende meines Lebens feststellen, dass ich das Leben eines anderen gelebt habe.»

Und wie er sich schließlich doch für sie entscheidet, weil sie ihm «die Freude am Alleinsein verdorben hat». Und wie er verunglückt und sie ihn begraben lässt auf dem Hügel, «wo die Löwen so gerne ihren Mittagsschlaf halten mit Blick auf die Ngong-Berge».

Philipp versuchte, Verständnis zu zeigen für meine seelische Zerrüttung. Ich kann Tage unter so was leiden. Ich meine, bei alten Filmen heule ich oft schon bei der Eröffnungsfanfare ...

Wie war ich jetzt darauf gekommen?

Richtig. Was ich eigentlich sagen wollte war, dass ich meinen Freund Burgi schon oft überrascht habe. Aber es kam niemals vor, dass er keinen Kaviar und keinen Champagner im Kühlschrank hatte. Es ist fast so, als habe sich Burgi sein Leben lang für den Moment bereitgehalten, in dem Amelie Puppe Sturm samstagmorgens um halb acht anruft und ihn umgehend zum Rastplatz Stolper Heide bestellt.

Zufrieden betrachtet Burgi sein Werk. Sogar an Sitzkissen hat er gedacht.

Er hat noch keine Frage gestellt, seit er angekommen ist. Keine Vorwürfe gemacht. Was für ein Freund!

Er setzt sich mir gegenüber auf das Kissen, mustert mich eindringlich, greift nach meiner Hand und sagt:

«Schnuppelchen, egal was passiert ist, was du auf jeden Fall brauchst, ist eine neue Frisur.»

Leider muss ich lachen und gleichzeitig weinen und gleichzeitig mit Champagner anstoßen und mir gleichzeitig die Haare aus dem Gesicht streichen, weil die wirklich ganz schön runtergekommen sind.

«Und jetzt, Püppchen, erzähl mir alles von Anfang an.»

9:30

«Du hast was!?»

Ich fahre erschrocken zusammen. Bisher hatte mir Burgi fast die ganze Zeit schweigend zugehört und nur ab und an ein paar sachliche Zwischenfragen gestellt oder mitfühlende Bemerkungen gemacht. Der offensichtliche Vorwurf bringt mich aus dem Konzept.

«Wie? Wieso? Warum denn nicht? Burgi, was ist denn los? Du bis ja ganz blass geworden. Also ich finde, Philipp kann ganz froh sein. Er ist doch noch glimpflich davongekommen.»

«Glimpflich davongekommen?» Burgi schüttelt seinen kleinen Kopf, der mich immer ein wenig an den meines verstorbenen Nymphensittichs Ikarus erinnert.

Ich gab ihm den Namen, weil wir damals in der Grundschule gerade gelesen hatten, wie Ikarus zu nah an die Sonne flog und seine Flügel schmolzen. Mein Ikarus war eines Nachts aus seinem Käfig geklettert und hinter die Nachtspeicherheizung meines Kinderzimmers gefallen. Der Geruch versengter Federn hatte mich geweckt – allerdings zu spät. Lange Zeit hatte ich Schuldgefühle deswegen und mich gefragt, ob ich – nomen est omen – durch die unglückliche Namensgebung sein Schicksal negativ beeinflusst habe.

Burgi hat sich vor Aufregung einen Cohiba-Zigarillo angesteckt. Ich weiß, dass er eigentlich gar keine Zigarillos mag, aber er findet, dass sie einfach besser aussehen als Zigaretten. Wenn keiner guckt, raucht er Ernte 23.

«Schnuppelchen, trägt Philipp nicht viel Brioni?»

«Mmmmh.»

Burgi verzieht vor Schmerz das Gesicht. «Das tut weh, Puppe. Das tut wirklich weh. Ich meine, die Anzüge kann er wegschmeißen. Schnuppelchen, ich glaube, das wird er dir nie verzeihen.»

Hä? Hör ich richtig? Was heißt denn hier verzeihen?

«Was heißt denn hier verzeihen?»

«Mein Liebes, Männer sind, was ihre Autos, ihre Anzüge und ihre Schwänze betrifft, extrem empfindlich. Nein, Püppchen, diesmal bist du zu weit gegangen. Ich schätze ja deinen Hang zur Dramatik, und du weißt, dass ich dich immer unterstützt habe. Auch damals, kurz vor Weihnachten ...»

«Burgi, hör mal!»

«... als du dich drei Tage bei mir versteckt hast – übrigens mit deiner gesamten Skiausrüstung –, damit Philipp glauben sollte, du seist ohne ihn nach St. Moritz gefahren.»

«Burgi, hör auf, dass ist doch ganz was ...»

«Ich halte auch diesmal zu dir, Püppi. Aber ich an Philipps Stelle ... Also wenn das meine Brioni-Anzüge gewesen wären ... Vergiss nicht, ich bin ja irgendwie auch ein Mann. Nein, ich fürchte wirklich, Schnuppelchen, den Typen bist du ein für alle Mal los. Das lässt keiner mit sich machen.»

Burgi seufzt laut und schaut mich bekümmert an.

Spinn ich oder was? Was ist denn hier los?

«Hast du nicht mehr alle beisammen? Du tust gerade so, als hätte ich Philipps Garderobe in einem grundlosen Anfall von Vandalismus zerstört. Was heißt denn hier, ‹er wird mir das nicht verzeihen›? Das ist mir doch total egal!»

Jetzt werde ich laut, wie immer, wenn ich mich ereifere. Ein Erbe meiner Mutter, die auch immer die ganze Nachbarschaft an den Auseinandersetzungen mit meinem Vater teilhaben lässt.

Frau Röben wohnt gleich im nächsten Haus zur Linken, hat sich sogar schon mal bei meiner Mutter beschwert. Und zwar darüber, dass man bei ihrem Gebrüll die Antworten meines Vaters ja gar nicht hören könne, und ob meine Mutter eine Vorstellung davon habe, wie unbefriedigend es sei, von einem Streit nur die eine Hälfte mitzubekommen.

Ich fahre fort: «Ich bin doch diejenige, die nicht verzeihen wird! Und was heißt hier ‹den bin ich ein für alle Mal los›? Natürlich bin ich ihn los! Und weißt du, warum? Weil ich ihn nicht mehr will! Das Maß ist voll! Ich habe schließlich auch meinen Stolz!!!»

«Aber woher denn so plötzlich? Damit konnte Philipp doch nicht rechnen.»

Da bin ich platt. Und wahnsinnig gekränkt. Wozu hat man denn Freunde? Doch nicht, damit sie einen kritisieren! Schon gar nicht in einem emotional so heiklen Moment.

Burkhard Ginster hatte doch noch nie Verständnis für typisch männliches Verhalten. Warum ausgerechnet jetzt?

Burgi dreht an seinem Siegelring herum.

«Sag mal, warum trägst du eigentlich einen Siegelring, Burkhard?»

«Wie kommst du denn jetzt darauf?»

«Sag doch mal. Du bist doch gar nicht adelig, oder?»

«Das weiß man nie so genau.»

«Finde ich total peinlich, wenn einer 'nen Siegelring trägt und nicht adelig ist.»

«Püppchen, ich weiß, du bist beleidigt.»

«Bin ich nicht.»

«Aber unter Freunden soll man sich doch wohl die Wahrheit sagen, oder?»

«Und warum musst du unbedingt heute damit anfangen?»

Jetzt ist Burgi gekränkt. Und es tut mir auf der Stelle Leid.

«Burgi, entschuldige, aber ich muss mich kurz sammeln. Gib mir einen von deinen ekligen Zigarillos, und versprich mir, dass du mich erst dann weitersprechen lässt, wenn ich das blöde Ding aufgeraucht habe.»

Mir wird auf angenehme Weise ein wenig schwindelig. Ich habe vor zwei Jahren aufgehört zu rauchen, aber ich finde, dieser Moment ist ein guter Moment, um wieder anzufangen.

Was geschieht hier eigentlich?

Bei welcher miserablen deutschen Komödie, die niemals in die Kinos hätte kommen dürfen, schaue ich gerade zu?

Da sitzen zwei Menschen auf einem Rastplatz, der eine sieht aus wie ein homosexueller Wellensittich, die andere wie ein zerrupftes Maskottchen, das keinem mehr Glück bringt. Er im Kimono, mit den neuesten Nikes an den Füßen und einer schwarzen Persol-Sonnenbrille im Haar. Sie in Jeans und einem blauen T-Shirt mit aufgedruckten Pril-Blumen. Sie liebt Pril-Blumen, weil sie sie an alte Zeiten erinnern, die sie, besonders zurzeit, für die besseren Zeiten hält.

Ihre verheulten Augen hat sie hinter einer lila getönten Sonnenbrille versteckt, und die mehr als schulterlangen Haare neigen zur Lockenbildung an den unmöglichsten Stellen. In Ihrem Schoß liegt der Kopf eines sehr, sehr hässlichen Hundes, der ab und an vernehmlich seufzt. Keine zehn Meter von ihnen entfernt hat ein Laster geparkt mit der Aufschrift «Tag und Nacht – da lacht die Fracht!».

Mein Raucher-Schwindel verstärkt sich, und ich überlege, wer meine Rolle in dieser Klamotte spielen könnte. Jetzt mal international gedacht, würde ich sagen: Julia Roberts. Vielleicht auch Cameron Diaz.

Wobei mich das ja total erschüttert hat, dass die Julia Roberts zum Beispiel gar kein erfülltes Liebesleben hat. Hat die Hochzeit mit ihrem Verlobten, dem Kiefer Sutherland, den ich ja ohnehin nicht so attraktiv finde, abgeblasen, weil er sie einen Tag vor der Trauung – einen Tag vorher! – betrogen hat. Außerdem, hat sie mal erzählt, traut sich ja auch kein Mann, die Julia Roberts anzusprechen.

Ein Phänomen, unter dem ich leider nicht leide.

Und Cameron Diaz, die hat sich über zu wenig Sex mit ihrem Freund beklagt. In der «Bunten». Mich hat das irgendwie total erleichtert. Ich meine, stell dir vor, du bist Cameron Diaz und hast nur einmal im Monat Sex. Da fühlst du dich doch – vorausgesetzt, du bist nicht Cameron Diaz – gleich hunderttausendmal besser.

Auf nationaler Ebene wäre es wohl das Schlimmste, wenn ich von Veronica Ferres dargestellt werden würde. Oder – auch keine schöne Vorstellung – von Mariele Millowitsch. Weil, mit der können sich immer alle stinknormalen Frauen identifizieren. Und welche Frau möchte denn schon, dass sich alle stinknormalen Frauen mit ihr identifizieren können?

Für die Verkörperung von Burgi kommt natürlich international nur Rupert Everett infrage. Groß! Einfach groß, sein Auftritt in

«Die Hochzeit meines besten Freundes», mit dem Satz: «Mein Name ist Bond. Jane Bond.»

Philipp Sackgesicht von Bülow könnte unter den deutschen Mimen sehr schön von dem abstoßenden Mathieu Carrière oder dem widerwärtigen Klaus Löwitsch dargestellt werden. Bente Johannson könnte man mit der ollen Riemann besetzen. Da weiß der Zuschauer wenigstens sofort, dass er es hier mit einem ganz besonders üblen Feindbild zu tun hat.

Grundgütiger! Wie bin ich nur hineingeraten in diese Schmierenkomödie, die sich mein Leben schimpft? Was habe ich bloß falsch gemacht?

Leider gehöre auch ich zu den Frauen, die den Fehler immer zunächst bei sich selber suchen. Wäre ich die Wetterfee bei Pro 7, ich würde mich jedes Mal entschuldigen für das Tief, das ich ansagen müsste. Wäre ich Prüfer beim TÜV, ich würde von morgens bis abends um Verzeihung bitten wegen der Roststellen, die ich entdecke. Es ist ganz schlimm: Wenn mich einer auf offener Straße anrempelt, murmle ich «Pardon». Wenn einer meinen Witz nicht versteht, denke ich, der Witz ist schlecht. Wenn einer mein Essen nicht mag, denke ich, ich koche schlecht. Wenn einer mich nicht mag, denke ich, ich bin potthässlich.

Ist das genetisch bedingt?

Haben Frauen ein Sorry-Chromosom mehr als Männer?

Ja, ich habe es vor langer Zeit herausgefunden und dennoch bisher nichts daran ändern können: Der Fehler an Frauen ist, dass sie sich schuldig fühlen. Der Fehler an Männern ist, das sie sich nicht schuldig fühlen.

Ich bin der festen Überzeugung, dass es die Welt zum Besseren revolutionieren würde, wenn man in Zukunft Eltern verbieten würde, ihren Töchtern die Worte «Entschuldigung», «Verzeihung» und «Tut mir Leid, das war ganz klar mein Fehler» beizubringen.

12:00

High Noon.

Marple hält ihre kurze Nase in den Fahrtwind, und ihre Ohren flattern wie Bettwäsche an der Leine an einem stürmischen Tag. Ich überhole eine Frau mit Baby-an-Bord-Aufkleber am Auto. Sie trägt eine orange-braune 70er-Jahre-Bluse mit psychedelischem Wellenmuster, das früher gerne für Teppichböden in Kantinen gewählt wurde.

Retro ist ja wieder total in.

Eigentlich eine ungewöhnliche Bluse für eine Frau, die in einem zahnbelagfarbenen Jetta auf keinen Fall schneller als hundertzehn fährt. Aber es nützt ihr und ihrem unscheinbaren Äußeren rein gar nix. Denn das Interessante an ungewöhnlicher Mode, an ungewöhnlichen Haarfarben, an ungewöhnlichen Accessoires wie Neon-Kopftüchern, Straußenfedern im Haar, grünen Strasssteinen auf der Stirn, rosafarbenen Kaninchenfellhandtaschen, durchsichtigen Gummistiefeln, Che-Guevara-Feuerzeugen, Pelz-Bikinis, Schlangenleder-Handy-Überziehern, Kuhfell-Kostümen ...

Was wollte ich jetzt sagen?

Ach ja! Hier eine meiner unbedingten Wahrheiten: Ungewöhnliches sieht nur an ungewöhnlichen Menschen ungewöhnlich aus!

Im Rückspiegel sehe ich noch, wie der Jetta zum Überholen ansetzt und so einen mit 250 heranbrausenden BMW zu einer Vollbremsung nötigt.

Eigentlich verachte ich BMW-Fahrer. Die investieren meist wesentlich mehr Aufwand in die Pflege ihres Autos als in die ihres Charakters. Ja, meiner ganz persönlichen Statistik nach stecken in BMWs meist Männer, die, um sich erfolgreich in ihnen zu fühlen, dicht auffahren, rechts überholen und alten Damen in noch älteren, aber tipptopp-gepflegten Polos den Parkplatz wegschnappen. Aber dieser hat meine Solidarität, weil ich genau weiß, wie ihm jetzt zumute ist. Mordgelüste im Straßenverkehr sind mir nicht fremd. Da besonders Frauen sich an so dusselige Regeln wie Geschwindigkeitsbegrenzungen und Überholverbote halten, entstehen kilometerlange Staus. Es ist völlig klar: wenn alle Verkehrsteilnehmer sämtliche Verkehrsregeln beachten würden, ginge auf Deutschlands Straßen absolut gar nichts mehr.

Für mich sind Verkehrsregeln unverbindliche Richtlinien.

Vielleicht ahnt es der ein oder andere bereits: Ich halte nicht viel von Frauen hinterm Steuer. Ehrlich gesagt halte ich gar nichts von Frauen hinterm Steuer. Ich merke sofort, wenn eine Frau vor mir fährt. Und ich werde sofort aggressiv.

Die suchen Parkplätze immer in Zeitlupe. Sie blinken minutenlang, ohne abzubiegen. Sie verlangsamen vor Wegweisern mit mehr als zwei Angaben auf Schritttempo. Im Nebel halten sie lieber gleich ganz an, und wenn du einen Termin hast, dann sag ihn lieber ab, wenn du in einer engen Straße hinter einer Frau stehst, die versucht, rückwärts in eine stattliche Lücke einzuparken.

Es ist nicht unbedingt so, dass Frauen schlechter fahren als

Männer – sie fahren nur aus anderen Gründen schlecht. Es ist wie im Leben: Männer verursachen Unfälle, weil sie sich über-, Frauen weil sie sich unterschätzen.

Interessant ist allerdings, von allen Amateur-Fahrerinnen gern zitiert, die Statistik, dass Frauen viel weniger Unfälle verursachen als Männer.

Nach meiner Theorie geht es auch da wieder zu wie im richtigen Leben: Männer können die Verhaltens- und Reaktionsweisen von Frauen nur schlecht verstehen und so gut wie gar nicht vorhersagen. Das gilt für den Straßenverkehr und für Beziehungen. Wenn eine Frau links blinkt, gehen Männer kurioserweise davon aus, dass sie auch nach links abbiegen wird. Wenn eine Frau auf die Frage «Ist was mit dir?» antwortet «Nein, was soll denn sein?», gehen Männer davon aus, dass nix ist.

Etliche tausend Jahre leben wir nun schon zusammen auf Mutter Erde, und noch immer glauben die Männchen, die Weibchen würden sagen, was sie wollen. Das ist keine besondere Intelligenzleistung.

Ich finde nicht, dass Frauen sagen sollen, was sie wollen. Aber sie sollten, da muss ich wirklich mein eigenes Geschlecht rügen, nicht rechts blinken und links abbiegen. Für den Straßenverkehr bedeutet das nämlich, dass Frauen sehr viele Unfälle provozieren, an denen sie laut Straßenverkehrsordnung entweder nicht schuld oder aber überhaupt nicht beteiligt sind. Sie tuckern davon und merken gar nicht, was für ein Chaos sie hinter sich angerichtet haben.

Ich drehe den Rückspiegel zu mir, schaue in mein Gesicht und schicke zum hundertsten Mal ein Dankgebet Richtung Burgi, der jetzt wieder zu Hause ist oder schon auf dem Weg in seinen Salon.

Um eins kommt Doris Schröder-Köpf. Zum Blondieren und Spitzenschneiden.

Wie alle Schwulen hält auch Burgi sich am liebsten raus, wenn es darum geht, Partei zu ergreifen, sich zu entscheiden oder einen konkreten Rat zu geben. Burgi ist ein großer Tröster und sagt aufmunternde Sachen wie:

«Du bist eine Göttin, Puppe, er wird ohne dich nicht leben können.»

Oder: «Kleines, keine zehn Tage und du hast einen Neuen, der viel besser aussieht.»

Oder: «Mein armes, armes Schätzchen! Was kann ich nur für dich tun? Soll ich mich von Carlos trennen, damit du mit deinem Kummer nicht so alleine bist?»

Burgi konnte mir nicht sagen, was ich tun soll, aber er gab mir das Wichtigste, was man einer Frau auf den neuen Lebensweg mitgeben kann: eine neue Frisur.

Er hatte nicht nur Frühstück und Alkohol dabei, sondern auch noch seinen Notfall-Koffer für hysterische Supermodells, die sich weigern, ihre Suite zu verlassen, weil ihre Haare angeblich nicht sitzen.

Burgi arbeitete am Rastplatz Stolper Heide zwar unter erschwerten Bedingungen, weil er das Wasser zum Ausspülen der Haarfarbe in einer Schüssel aus dem Raststätten-Klo holen musste, aber er hat Großartiges geleistet.

Ich finde, ich sehe jetzt aus wie eine, mit der nicht zu spaßen ist. Mindestens zehn Zentimeter Haar habe ich am Rastplatz gelassen, und die dunklen Büschel werden wohl im Moment vom warmen Sommerwind in die Weite der ostdeutschen Rapsfelder hinausgetragen.

Ich habe jetzt, was ich mir lange gewünscht, mich aber nie getraut habe: ziemlich kurze Haare. Fransen im Nacken, ein paar dunkelrot gefärbte Strähnen fallen mir in die Stirn. Mit meiner natürlichen Anmut kann ich mir Haare hinter die Ohren schieben, wodurch mein Gesicht nicht mehr ganz so rund und maskottchenhaft aussieht.

Burgi selbst war restlos begeistert von seinem Werk und verfluchte mich, dass es erst zu einer derartigen Krise kommen musste, um mich frisurmäßig zu emanzipieren.

Zum Abschied gab er mir noch eine Kassette «Passend zur Frisur» und eine Kassette «Der Tränenschocker für die Stunde der Not» mit auf den Weg. Dann nahm er mich in die Arme: «Püppchen, willst du nicht mit mir zurück nach Berlin fahren? Du könntest mit ihm reden. Vielleicht klärt sich alles auf?»

«Ach, Burgi, ich brauche erst mal etwas Zeit für mich.»

Wow! Das hatte ich noch nie in meinem ganzen Leben gesagt. Die Worte fühlten sich fremd an in meinem Mund – aber gut. Und sie passten zu meiner neuen Frisur.

«Diesmal mach ich alles anders als sonst. Wart's nur ab. Der erste Schritt ist schon getan. Ich habe Strähnchen, ich habe eine neue Frisur, und ich habe eine neue Handy-Nummer.»

«Was hast du?»

«Ich hab gleich heute Morgen beim D1-Service angerufen und gesagt, dass ich unter meiner alten Nummer ständig von einem obszönen Stöhner belästigt werde.»

«Davon hast du mir ja gar nichts erzählt,» sagte Burgi beleidigt. «Ein echter Perverser? Hättest ihm doch mal meine Nummer geben können.»

«Du Trottel, das war doch gelogen. So hab ich jedenfalls innerhalb von einer Stunde eine neue Nummer bekommen. Ich hätte es einfach nicht ausgehalten, für Philipp erreichbar zu sein, seine Nachrichten, sein Bitten, sein Jammern abzuhören, das ständige Klingeln auszusitzen ...»

«Ich glaube, da hättest du dir keine Sorgen machen müssen. Der ruft bestimmt nicht an.»

«Was?»

Grundgütiger! An diese Möglichkeit hatte ich nicht eine Sekunde lang gedacht. Ich hatte mich unerreichbar machen wollen.

Wird Philipp überhaupt nicht merken, dass ich unerreichbar bin, weil er nicht versucht, mich zu erreichen?

Eine Katastrophe!

Und am schlimmsten: Ich würde es nun, durch meine eigene Schuld, nie erfahren. Diese Unsicherheit würde mich sicherlich den Rest meines Lebens quälen. Blöder Fehler. Aber andererseits: Seine Qual würde in jedem Fall größer sein. Und darauf allein kommt es an. Trennungen sind nun mal schmerzhaft, aber ich fühle mich immer gleich wesentlich besser, wenn ich weiß, dass der andere mehr leidet als ich.

12:27

Wieder allein.

«Was willst du denn jetzt machen?», hatte Burgi mich natürlich gefragt. Aber ich hatte keine Antwort gewusst.

«Fährst du nach Hamburg?»

«Weiß nicht.»

«Du kannst doch nicht so einfach ins Nichts fahren!»

«Mmmh.»

«Wie, mmmmh? Ich mach mir Sorgen, wenn ich nicht weiß, wo du bist.»

Da waren mir die Tränen gekommen. Weil ich zum ersten Mal in einer Situation war, die ich selbst wirklich tragisch fand und in der ich nicht nur so tat, als ob. Mal was anderes. Ein ganz neues Gefühl. Sehr intensiv jedenfalls.

Und dann war mein lieber Burgi in seinem grünen MG in die Sommerlandschaft entschwunden, und ich fühlte mich derartig verlassen, dass ich einen meinem Naturell so gar nicht entsprechenden Entschluss fasste: Meine neue Strategie heißt Ablenkung. Ab sofort denke ich nur noch an angenehme, heitere Dinge. Denn eine Person, an die man nicht denkt, kann man auch nicht vermissen. Ist ja logisch. Ein gelassenes Lächeln wird stetig meinen Mund umspielen. Ich werde mir schöne Sachen ausmalen, meine Phantasie dazu benutzen, mir glorreiche Heldengeschichten auszudenken, in denen ich natürlich der Held bin.

Ich könnte zum Beispiel zwanzig Kinder aus einem Schullandheim retten, in dem eine Bombe versteckt ist. Anschließend würde ich die Bombe finden und in letzter Sekunde entschärfen. Oder ich wäre ein berühmter Filmstar und würde den Oscar für die beste weibliche Hauptrolle bekommen. Ach, herrlich, ich habe schon Stunden auf langen Autofahrten damit zugebracht, an meiner Dankesrede für die Oscar-Verleihung zu feilen:

«Meine Damen und Herren, verehrte Acadamy, lieber ...»

Wie geht es Philipp wohl in diesem Moment?

Wach ist er inzwischen.

Ob er unglücklich ist?

Hoffentlich.

Ach, ich wollte doch verdammt nochmal nicht darüber nachdenken, aber beim Autofahren schlagen die Gedanken Purzelbäume neben der Fahrbahn, machen Rast auf dem begrünten Mittelstreifen und legen plötzlich den Rückwärtsgang ein, während man selbst mit hundertfünfzig geradeaus fährt und nicht weiß, wohin man eigentlich unterwegs ist.

Ob er versuchen wird, mich zu finden?

Aber wie?

Und vor allem: warum?

Vielleicht ist er froh, mich los zu sein, und hofft inbrünstig, dass ich nicht wiederkomme?

Vielleicht hat er bereits eine bundesweite Fahndung nach der Mörderin seiner Anzüge veranlasst?

Ob er sehr böse ist?

Oder ist er erleichtert, weil er durch meinen für ihn zwar kostenintensiven, aber letztendlich doch zügigen Abgang ein Problem weniger zu lösen hat?

Verflucht, ich merke, wie ich in Kummer und Selbstmitleid versinke. Die Wut der letzten Stunden war mir lieber. Wut empfinde ich als produktiv. Wut setzt Energie frei, macht schnell und entschlossen. Wer wütend ist, leidet nicht. Kummer ist passiv, macht langsam und zweifelnd. Jetzt bloß nicht an Philipps gute Seiten denken, an schöne Zeiten, an große Gefühle und anbetungswürdige Körperteile.

Nicht an Philipps Nacken, der nach frisch gewaschenem Kleinkind riecht. Nicht an seine Ellenbogen, die so rührend verschrumpelt sind, als habe er sie von einem 95-Jährigen transplantiert bekommen. Nicht an seinen Bauchnabel denken, der einen enormen Durchmesser hat. «Wie heißt der Bürgermeister von Wesel!?», habe ich oft morgens in Philipps Bauchnabel gerufen und mich kaputtgelacht. Und Philipp hat brav «Esel!» gerufen. Und wenn ein Tag so begann, dann ist es meistens ein guter Tag geworden.

Ich habe Philipp immer am meisten für das geliebt, was er nicht zu sein scheint. Seine Oberfläche ist die des ernsthaften, korrekten, am Erfolg orientierten Anwalts, der seine Anzüge in Geschäften kauft, wo man seinen Namen und seine Größe kennt.

Philipp von Bülow, der in Bewerbungsgesprächen – als er sich noch bewerben musste – auf die Frage «Was wollen Sie werden?» immer antwortete: «Ihr Chef.»

Die meisten Menschen, die ihn nicht gut kennen, können sich nicht vorstellen, dass Philipp im Grunde seines Herzens ein zärtlicher, ja sogar sentimentaler, ja sogar humorbegabter Mann ist. Wobei ich unter Humor verstehe, dass jemand herzlich über meine Witze lacht.

Nein wirklich, wenn keiner kuckt, ist Philipp total reizend. Kaum einer weiß zum Beispiel, dass der große Philipp von Bülow längst ausgestorben wäre, wenn er nicht immer dafür sorgen würde, dass sich jemand um ihn kümmert.

Als Nachzügler-Nesthäkchen mit drei älteren Schwestern wurde ihm die Begabung, Leute in seinen Dienst zu stellen, in die

Wiege gelegt. «Möglichst lange bei den Eltern wohnen und dann zu den Kindern ziehen» – das sei, sagt er, wenn er zu Scherzen aufgelegt ist, seine Devise gewesen. Dann lachen immer alle, ich auch, aber im Grunde meint er das gar nicht so scherzhaft.

Man kann nicht sagen, dass Philipp lebensuntauglich ist. Aber er weigert sich einfach, manche lebenserhaltenen Maßnahmen zu erlernen. Das Abwiegen von Tomaten im Supermarkt zum Beispiel. Er will sich mit dieser Materie einfach nicht beschäftigen. Er sagt, er hat schon genügend mentale Herausforderungen in seinem Berufsleben, da sähe er es nicht ein, warum er sich nach Feierabend noch mit Gemüsewaagen auseinander setzen soll oder mit der Thematik «angekettete Einkaufswagen». Da stellt er sich lieber bewusst tollpatschig an und schaut so lange hilflos umher, bis er bedient wird.

Eigenartigerweise wird er damit zum Liebling aller Verkäuferinnen. Die freuen sich, dass sie was können, was der berühmte Herr Prominentenanwalt nicht kann, wiegen ihm das Gemüse an der Kasse, verkaufen ihm halbe Brote, wo es eigentlich nur ganze gibt, und führen ihn laut schwatzend durch die Weiten des Supermarktes, wenn er mal wieder vergessen hat, wo sein Frühstücksmüsli steht.

Um diesen Habitus – Mann nach Kindchenschema – nicht zu gefährden, geht Philipp mit mir am Wochenende nur in Läden einkaufen, wo er nicht bekannt ist.

«Eine Frau in meinem Leben», war seine Rechtfertigung, «würden mir die Damen an der Supermarktkasse womöglich nicht verzeihen.»

Eine noch wichtigere Rolle als die Supermarkt-Damen spielt

Selma Moor, seine Sekretärin in der Kanzlei. Sie ist Mitte fünfzig, unverheiratet, gedrungen, großbusig, mit einem dragonerhaften Ton und einem Herzen aus purem Gold.

Sie koordiniert Philipps Termine und sorgt für seine geregelte Nahrungsaufnahme. Holt ihm mittags Salat oder Sushi ins Büro und kümmert sich darum, dass er sich auch abends ausgewogen ernährt, indem sie Restaurants nach ernährungswissenschaftlichen Kriterien bucht. Ich nehme an, dass Selma für uns auch den Überraschungs-Kurzurlaub in Rom organisiert hat.

Ach. So schön.

Rom, wo Philipp davon überzeugt war, Italienisch zu können, und die Tatsache, dass die Italiener ihn kaum oder gar nicht verstanden, an seiner Überzeugung nichts änderte.

Lieber nicht dran denken.

Und auch nicht an das Picknick in Howacht an der Ostsee, mit Nudelsalat und russischen Eiern. Philipp hat mein Menü verspottet – und restlos aufgegessen.

Aus dem Picknick wurde ein ganzes Wochenende im Hotel Genueser Schiff unterm Reetdach direkt am Strand. Frühstück am Meer, Barfuß-Spaziergänge, minderwertige Literatur im Strandkorb lesen, kreischend über Wellen hopsen, viel Sex in alten Bauernbetten und tiefer Schlaf von Ostseerauschen begleitet, gewiegt, getröstet und gestreichelt.

Ich liebe die Ostsee. Sie ist immer da, wo man sie vermutet und wo man sie beim letzten Besuch zurückgelassen hat. Sie ist zuverlässig und sanft. Ganz anders die unberechenbare Nordsee. Ich erinnere mich ungern an einen Ausflug nach St. Peter-Ording in Begleitung eines Mannes, dessen Namen ich zu Recht vergessen habe. Ich weiß noch, wie ich voller Vorfreude die Dünen hinaufrannte, die Hosenbeine hochkrempelte und «Meer! Meer!», rief.

Na toll. War Ebbe. Und wir mussten einen Kilometer laufen, ehe ich in der ersten salzhaltigen Pfütze stand, und nochmal einen Kilometer bis zum echten Meer. Nein, solche launischen Gewässer schätze ich nicht. Ich mag sowieso keine Überraschungen, auch nicht solche, die von der Natur inszeniert sind.

Ich finde, die Nordsee hat was Zickiges, was Mädchenhaftes. Wie eine Diva mit Kopfschmerzen. Wie Marlene Dietrich, wenn sie ihre Tage hatte. Wäre die Nordsee eine Frau, sie würde sich sicherlich im Restaurant die Lippen anmalen und einen Suppenlöffel als Spiegel benutzen. Sie würde beim Sex schmutzige Worte stöhnen, ihrem Liebhaber den Rücken zerkratzen, und wenn sie nachher im Bett eine Zigarette rauchte, müsste er den Aschenbecher für sie halten.

Die Nordsee wäre eine Frau, die gut einparken und noch besser «Nein» sagen kann, eine Frau mit guter Figur und mit schlechtem Charakter. Ich mag sie nicht, die Nordsee, sie macht mir Angst. Ach, ich wünschte, ich wäre so wie sie.

Aber Freundinnen, die ihr wie ich charakterlich eher der Ostsee oder der Binnenalster gleicht, vergesst nicht: Stürme toben in jedem Gewässer. Pfützen können überraschend tief sein. Und auch in Teichen haben schon Menschen ihr Leben gelassen.

12:45

Jedes Mal freue ich mich über diese Abfahrt. Jedes Mal denke ich, wie reizend es sein müsste, auf die Frage nach meiner Adresse sagen zu können: «Ich wohne in Herzsprung.»

Jedes Mal denke ich, dass ich irgendwann mal diese Abfahrt nehmen werde, um nachzuschauen, wie es so ist, in einem Ort, der Herzsprung heißt.

Jedes Mal freue ich mich über diese Abfahrt – aber diesmal nicht. Wenn ich das nächste Mal hier vorbeifahre auf dem Weg nach Berlin, dann werde ich nicht auf dem Weg zu ihm sein. Vielleicht wird Burgi mich dann erwarten, um meine Frisur zu warten. Vielleicht wird Sylvia mich hin und wieder zu einer Premierenparty oder einer Preisverleihung mitnehmen. Bis dahin werde ich bestimmt mindestens Kleidergröße vierunddreißig tragen und nur andeutungsweise und sehr würdevoll nicken, wenn ich an Philipp von Bülow vorbeischwebe. Und dann wird er sehen, was er nicht mehr hat, seit er mich nicht mehr hat, und ich werde mir einbilden und einreden, dass ihm dieser Anblick wehtut.

Nein, beim nächsten Mal, wenn ich an der Ausfahrt Herzsprung vorbeifahre, wird mein Herz vor Vorfreude keinen Sprung machen. Ich werde nicht laut juchzen wie sonst, weil es nicht mehr weit ist bis zu meinem zweiten Zuhause. Weil es dann nicht mehr lang dauert, bis der Freitagabend beginnt, den Philipp und ich kein einziges Mal mit anderen Menschen geteilt haben. Das war immer unser Abend, der Abend, den Philipp mir Woche für Woche schenkte. Von Anfang an. Wie ein kostbares Geschmeide auf dunklem Samt in einer Schatulle, die mit diesem satten, teuren Ton zuschnappt.

Wie viele Freitagabende haben Philipp und ich insgesamt erlebt? Wie viele Wochen hat das Jahr? Wie viele Freitagabende haben zweieinhalb Jahre? Ich war ja immer schlecht im Kopfrechnen, aber es müssten wohl ungefähr hundertdreißig sein. Unsere

Urlaube und die Wochenenden, die Philipp bei mir in Hamburg war, abgezogen, bleiben etwa hundert.

Hundertmal bin ich vorbeigefahren an Herzsprung, während Philipp gerade dabei war, meinen Freitagabend zu verpacken. Rosenduftendes Badewasser einließ. Oder mir zuliebe einen Liebesfilm in der Videothek auslieh. Kerzen anzündete und für ein selbst bestelltes Essen den Tisch deckte. Oder gebadet und gecremt, duftend und lüstern sich selbst als schönstes Geschenk von allen ins Bett legte, Champagner im Kühler auf den Nachttisch stellte und alle Stofftierchen mit dem Gesicht zur Wand drehte.

Und manchmal, wenn diese einzigartigen Freitagabende zu Ende gingen, wenn wir gegessen, getrunken, gelacht, geredet, geliebt hatten, dann nahm Philipp mein Gesicht beim Einschlafen in beide Hände. Und in meinem Leben war ich niemals vorher glücklicher gewesen.

Hundertmal Freitagabend. Hundertmal Herzsprung.

13:05

Wird man eigentlich beim Cabrio-Fahren braun? Ich frage mich das, weil die Sonne auf meine Stirn und Arme brennt und weil ich etwas Farbe ganz gut vertragen könnte. Ich werde zum Glück schnell braun und sehe dann – zumindest bilde ich mir das ein – ein wenig exotisch aus. Ich nehme an, diese Haut habe ich von meinem ungarischen Großvater. «Ostblock-Pigmentierung» nennt es meine Mutter. «Balkan-Braun» hatte es dagegen ein Trottel genannt, mit dem ich nur einen halben Sommer, sprich drei Wochen lang liiert war. Ich meine, ich bin kein Fleisch gewordener Brock-

haus, aber wer Ungarn dem Balkan zuschlägt, braucht mit meiner Zuneigung nicht länger zu rechnen.

Ich mache das Radio lauter, weil da gerade ein Lied von Driza Bone läuft, das hervorragend zu meinem künftigen Charakter passt.

Wild und gefährlich.

This is the last time
that you're gonna hurt me, baby
This is the last time
that you're gonna make me cry.

Yeah. Oh Yeah.

Fühle mich sehr gefährlich.

Ich ziehe mir im Rückspiegel die Lippen nach, trommle den Rhythmus auf dem Lenkrad und singe den Text mit, den ich natürlich auswendig kann, weil ich mir zwar keine Namen, keine Telefonnummern und keine Gesichter merken kann, aber jeden Text von jedem dämlichen Popsong, den ich irgendwann mal gehört habe. Ich kann sogar Lieder auswendig, deren Sprache ich gar nicht verstehe.

«Girl from Ipanema» zum Beispiel geht so:

A ducorpo du rado duamsch poeumo e balancado e fica maschlinda pour casa damuor.

Ich kann mir abstruse Texte merken, aber, wie gesagt, ist es mit meinem Namensgedächtnis nicht weit her. Deswegen habe ich auf jedem Juristen-Empfang und jeder Promi-Party immer gedacht, ich hätte wahnsinnig viele neue Leute kennen gelernt. Dabei hatte ich bloß vergessen, dass Philipp mir die Hälfte schon beim letzten Mal vorgestellt hatte.

Jemanden nicht wiederzuerkennen, ist schlimm genug. Noch schlimmer ist es allerdings, wenn man glaubt, man erkennt jemanden wieder. Das hat manches Mal zu unschönen Irritationen geführt.

Julius Schmitt, Philipps Seniorpartner in der Kanzlei, war beim letzten Dinner mein Tischherr, und ich habe ungelogen den ganzen Abend gedacht, ich säße neben Prinz Ernst-August von Hannover, der Philipps Klient ist. Das Missverständnis klärte sich erst auf, als ich generös und, wie ich dachte, ganz in Philipps Sinne erklärte:

«Wissen Sie, ich habe die Aufregung damals ja nicht verstanden, als Sie gegen den türkischen Pavillon gepinkelt haben. Die Empörung kam bestimmt von Frauen, und die sind doch bloß neidisch, weil sie nicht im Stehen pissen können.»

Philipp hat erst neulich noch gesagt, kein Mensch habe sein Leben in so kurzer Zeit um so viele Pointen und Peinlichkeiten bereichert wie ich.

«Dann hast du jetzt wohl eine Ahnung, wie viel Lustiges ich noch zu erzählen habe», antwortete ich, «denn schließlich lebe ich schon ein ganzes Leben lang mit mir zusammen.»

Schluss mit lustig.

Noch achtundsechzig Kilometer bis Hamburg. Aber was soll ich da eigentlich? In meiner Wohnung hocken, Urlaubsbilder in Fitzelchen reißen, lange Nadeln in Stofftiere bohren, die er mir geschenkt hat, die Telefonschnur kappen, um mir einreden zu können, er würde mich im Minutentakt anrufen?

Ich könnte, um mich abzulenken und meinen neuen, schlechten Charakter auszuprobieren, im Café Veneto, dem Konkurrenzunternehmen vom Himmelreich, ein paar Gäste bepöbeln. Oder im Freibad ein paar fiese, dicke Kinder ins Wasser schubsen.

Oder meinen drei Jahre älteren Bruder anrufen und ihm endlich mal sagen, wie beknackt ich seine letzten fünf Weihnachts- und Geburtstagsgeschenke fand. Und dass ich ab sofort nie wieder so tun werde, als würde ich mich über Wiegemesser und Hummerzangen freuen, weil ich nicht kochen kann und es auch nicht lernen will. Und dass ich es sagenhaft peinlich finde, dass er seine drei Kinder nach Romanfiguren benannt hat. Die Zwillinge Demian und Goldmund gehen auf das Konto von Hermann Hesse, die zweijährige Tochter Malina auf das von Ingeborg Bachmann.

Wenn ich mich beeile, schaffe ich es noch vor Ladenschluss nach Hause. Dann könnte ich schnell bei Karstadt in der Lebensmittelabteilung vorbeischauen, um die Verkäuferin zu verhauen, die mir letztens eine Tiefkühltüte in Rechnung gestellt hat, die ich von zu Hause mitgebracht hatte. Oder im Dunkeln die Fitnesstrainerin überfallen, die mich fünf Minuten nach Beginn der Latino-Aerobic-Stunde bat, doch lieber einen Kurs für Anfänger zu besuchen, da ich die Rhythmik der übrigen Kursteilnehmer durcheinander brächte.

Ich könnte auch nach Hohenholte fahren und meiner Grundschullehrerin Frau Robbe Angst und Schrecken einjagen. Als Rache dafür, dass ich in der Theatergruppe nicht ein einziges Mal die Prinzessin oder Königin spielen durfte, sondern immer bloß als Schweinehirt und Lumpensammler besetzt wurde.

Ja, ich könnte mich daranmachen, endlich all die zu bestrafen, gegen die ich mich nie zur Wehr gesetzt habe. Das wäre ein Fest! Und es würde mich sicher auf andere Gedanken bringen. Ach ja, zu Hause ist es doch am schönsten.

Nur noch fünfundsechzig Kilometer.

Drücke auf den Sendersuchlauf.

Igitt, nix Schlimmeres als Chris de Burgh mit «Lady in Red». Aufsteigende Übelkeit bei UB 40 mit «Red, red wine» – das grässlichste Lied, das mir je zu Ohren gekommen ist. Allerdings ganz dicht gefolgt von «Don't worry, be happy».

Da! Ich traue meinen Ohren kaum.

Meine Vergangenheit!

Nicht zu glauben!

Last night a D. J. saved my life, yeah!

Sehe mich in enger gemachten Röhrenjeans und Robin-Hood-Stiefeln auf der Tanzfläche des Number One stehen. Metallic-Lippenstift auf dem Mund und Strassschmuck um den Hals. Die Arme meines Sweatshirts habe ich selbst abgeschnitten.

Ich habe gerade zum ersten Mal rumgeknutscht. Wusste seinen Namen schon damals nicht. Und dass er sich kurz vorher übergeben musste, das hatte mir meine Freundin Kati freundlicherweise erst nachher erzählt.

Last night a D. J. saved my life with a song.

Verflucht nochmal, ist das lang her. Vierzehn war ich. Hatte langes Wuschelhaar, aber dafür ein gut frisiertes Mofa, natürlich eine Vespa Ciao, spielte Handball und konnte essen, was ich wollte, ohne zuzunehmen.

Ich weiß noch genau, wie die erste Zigarette schmeckte, die ich geraucht habe. Eine Krone, die ich Amelie Tschuppik aus ihrer

Schachtel geklaut hatte. Sie schmeckte natürlich nicht gut, aber sie schmeckte aufregend, nach Leben und Abenteuer.

«Haste mal 'ne Kippe?», sagten wir damals. Und wir sagten «Das ist ja echt asozial», wenn uns etwas missfiel. Und ich glaube, wir sagten «astrein», wenn wir etwas gut fanden, was ja gar nicht so oft vorkam. Wir tranken Persico Apfelsaft und gerne auch süßen Wein oder Asti Spumante oder Bockbier und wurden sehr schnell betrunken.

And if it wasn't for the music
I don't know what I'd do.

Wir hopsten auf der Tanzfläche rum und übten vorher vor dem Spiegel, wie wir dabei am lässigsten aussehen würden. In der Schule schrieben wir unsere Klassenarbeiten mit Pelikan-Füllern gefüllt mit schwarzen Tintenpatronen und verachteten die Geha-Fraktion und die, die bei Matheaufgaben immer noch hyperkorrekt mit dem Geodreieck zwei Striche unters Ergebnis machten und Rechtschreibfehler mit Tintenkillern korrigierten.

Wir schwärmten für Jungs aus der zehnten Klasse, die mit gelben Enduros zur Schule kamen, wir schauten im Kino «Flashdance», schwänzten fast jede Woche Religion oder Kunst und trafen uns in den Pausen auf den Toiletten, um Benson& Hedges zu rauchen und die Mädchen zu bewundern, die schon Sex gehabt hatten.

Last night a D. J. saved my life
from a broken heart
Last night a D. J. saved my life with a song.

Das Rührende an dem Lied, wenn man es nach so langer Zeit wieder hört, sind die mickrigen Special Effects. Wahrscheinlich soll das da im Hintergrund ein Gewitter sein, aber es klingt wie eine Klospülung. Das ist so, wie wenn man heute den «Weißen Hai» sieht: lustig. Großer künstlicher Fisch mit großen künstlichen Zähnen trinkt literweise künstliches Blut. Aber damals habe ich mich schon gegruselt, wenn ich bloß das Filmplakat an den Bushaltestellen sah.

Ich finde es irgendwie belastend, dass etwas in meinem Leben achtzehn Jahre her ist und ich mich hervorragend daran erinnern kann. Morgen werde ich zweiunddreißig sein. Dann wird mein erster Liebeskummer zwanzig Jahre her sein, mein erster Geschlechtsverkehr fünfzehn Jahre, mein Abitur vierzehn Jahre und mein erster Strafzettel wegen Falschparkens dreizehn Jahre.

Himmel, wie das klingt: «Vor zwanzig Jahren ...»

Meine Vergangenheit nimmt zu. Und meine Zukunft ab. Ich bin kinderlos und unbemannt und sagenhaft unglücklich. Im Grunde bin ich in den letzten Jahren keinen Schritt weitergekommen. Bloß älter geworden.

Ich möchte so gerne mal einen Mann haben, mit dem ich gemeinsam zurückblicken kann. Mit dem ich nicht nur eine Gegenwart und eine Zukunft teile, sondern auch eine Vergangenheit. Sich alleine erinnern finde ich bedauerlich. Das macht schwermütig. Aber zusammen kann man in Erinnerungen und alten Zeiten schwelgen, kann lachen und sich freuen, dass man schon so lange beieinander ist, dass man einen so großen, wertvollen Schatz an gemeinsam Erlebtem besitzt. Ich hätte gerne eine Liebe, für die es sich lohnt, Fotoalben anzulegen. Dicke Alben in rotem Leder, auf die goldene Jahreszahlen geprägt sind.

Goldene Jahre.

Unsere Goldenen Jahre.

Weihnachtsfeste. Geburtstagspartys. Gemeinsame Reisen. Gemeinsame Freunde. Gemeinsame Kinder. Fotos von lachenden Gesichtern, die von Album zu Album faltiger werden, aber fröhlich bleiben. Fotos von Wohnungen, neuen Nestern und Höhlen, die gemeinsam bezogen werden. Fotos von Liebe. Die sich verändert. Die nicht vergeht. Ein ganzes Regal voll mit Alben. Voll mit Leben. Gemeinsamem Leben.

«Piiiep ... Achtung, hier ein dringender Verkehrshinweis: Vollsperrung der A 24 Richtung Hamburg hinter Gudow wegen eines umgestürzten LKW. Ich wiederhole: Vollsperrung der A 24 ab Gudow. Autofahrern wird empfohlen, die Autobahn in Zarrentin zu verlassen. Piiiep ...»

«... saved my life from a broken heart ...»

Na bravo. Erst Trennung, dann Vollsperrung. In meinem Leben geht aber auch alles schief. Es ist tatsächlich genauso, wie meine Großmutter Amelie Tschuppik nach dem Genuss von vier Mirabellen-Likörchen zu sagen pflegte: «Der Teufel scheißt immer auf den größten Haufen.»

17:45

Endlich.

Habe drei verdammte Stunden bis auf die Insel gebraucht.

Ich hatte die Vollsperrung als Wink des Schicksals mit dem Zaunpfahl interpretiert und mein Ziel geändert.

An der Raststätte Hüttener Berge ging ich nochmal mit Miss Marple Gassi, wobei sie gegen ihren Willen fast von einem lüsternen Bobtail begattet worden wäre. Erst als ich den Besitzer des

Tieres wütend anschrie, er möge bitte sofort seinen ekelhaften Lustmolch von meinem Shar Pei entfernen – ich benutze bei solchen Gelegenheiten gerne die chinesische Fachbezeichnung für Faltenhund –, unterband dieser den bloß einseitig erwünschten Paarungsakt.

Dann hatte ich endlich mal ein bisschen Glück im Leben und bekam den letzten Platz auf dem Autozug. Ich freute mich wieder mal sehr über meine Ledersitze, da Marple sich wegen ihres sensiblen Magens während der ruckeligen Überfahrt mehrmals übergeben musste.

Aber jetzt fühle ich mich für alle Mühen belohnt.

Ich mag Strände am frühen Abend. Der Sand ist noch warm von der Sonne, das Licht liegt wie Blattgold über allem und macht die Welt zu etwas Kostbarem. Meine nackten Spreiz-Senk-Füße sehen bei dieser Beleuchtung ungewohnt edel aus, und selbst Marple, die hechelnd neben meinem fliederfarbenen Badehandtuch sitzt, wirkt im Abendgold wie eine teure chinesische Antiquität.

Sansibar. Ich mag diesen Strand besonders gern. Schon sein Name klingt so nach weit weg, nach ganz weit weg. Klingt nach Frauen mit Blumengirlanden um den Hals, nach türkisfarbenen Buchten und Korallenriffen. Klingt nach dem uralten Hit von Achim Reichel, den ich jedes Mal summe, wenn ich hierher komme:

Ich hab die ganze Welt gesehen,
von Singapur bis Aberdeen
wenn du mich fragst, wo's am schönsten war,
sag ich: Sansibar!
Aloha heja hej aloa heja hej aloa heja hej!

Sansibar! Der Traumstrand auf Sylt zwischen Rantum und Hörnum.

Als Kind habe ich hier zweimal im Schullandheim Puan Klent meine Ferien verbracht. Hatte furchtbares Heimweh und schlimme Angst vor einem Meergeist namens Ekke Nekkepen. Die Heimleiterin Fräulein Nießen – ich erinnere mich bis heute an ihr Gesicht, in dem die Augen so weit hervorstanden, dass ich glaubte, sie würden im nächsten Moment herausfallen und über den Fußboden kullern – erzählte uns beunruhigende Gutenachtgeschichten.

Wie Ekke Nekkepen nachts durch die Dünen streift, auf der Suche nach seinem Lieblingsessen: lecker, lecker Kinderfleisch. Und wie er dann vor lauter Hunger, wenn er nichts Besseres findet, Nacht für Nacht ein Stück vom Strand abbeißt. Deswegen liegt Sylts schmalste Stelle bei Puan Klent, dem Reich des grauenhaften Ekke Nekkepen.

Man kann sich leicht vorstellen, dass ich als Achtjährige nach solcherlei Geschichten einige schlechte Nächte in meinem Jugendheim-Etagenbett verbrachte. Was meinen Schlaf zusätzlich beeinträchtigte, waren die Quallen, die uns Mädchen nachts gerne von den Jungs ins Bett gelegt wurden.

Damals war Jens, ein wirklich schöner Junge, unsterblich in mich verliebt. Er konnte das allerdings nicht so zeigen und kompensierte seine Gefühle, indem er mir die größten Quallen ins Bett legte und seine Flatulenzen mit einem Feuerzeug entzündete, wenn ich in der Nähe war. «Fürze abfackeln» hieß das damals bei den Jungs, und ich ahnte bereits zu jener Zeit, dass ich es in Liebesdingen einmal nicht leicht haben würde.

Trotzdem habe ich Sylt geliebt und bin mit fast jedem meiner Freunde hingefahren, um ihnen voller Besitzerstolz meine Insel zu zeigen.

Natürlich bin ich auch mit Philipp hier gewesen. Aber der kannte Sylt schon. Seniorpartner Julius Schmitt besitzt hier eine, wie er sagt, «Hütte».

Diese Hütte trägt den Namen Wellenbrecher, liegt direkt am Strand von Rantum und besteht aus vier miteinander verbundenen Reetdachhäusern. Seinen Fuhrpark versteckt Julius Schmitt in einer unsichtbaren Garage unter den Dünen.

Obwohl er schweinereich ist, mag ich Julius. Das liegt zum Beispiel daran, dass er auf meine Frage, wie viele Millionen er denn so habe, antwortete: «Meine Vermögensbildung ist abgeschlossen.»

Julius ist viel zu sehr von sich selbst überzeugt, als dass er es noch nötig hätte, arrogant zu sein.

18:05

Wird Zeit, dass ich mich bei Ibo melde.

Die Arme kann mich nicht erreichen, weil sie meine neue Handy-Nummer nicht hat. Weiß überhaupt nicht, was geschehen ist, und macht sich sicher furchtbare Sorgen. Hoffe ich zumindest. Obwohl jetzt um kurz nach sechs sicher gerade Hochbetrieb im Himmelreich ist.

Die Gäste haben den schönsten Teil des Wochenendes noch vor sich, sind entspannt und freundlich.

Ist es überall auf der Welt samstags um kurz nach sechs besonders schön?

Marple hat angefangen, ein Loch zu buddeln. Ich betrachte sie gerührt wie eine Mutter ihre wohlgeratene Tochter.

«Ibo? Hallo, ich bin's.»

Im Hintergrund höre ich die vertrauten Himmelreich-Geräusche: Stimmengewirr, die Espresso-Maschine, jemand schäumt gerade Milch auf, Geschirrklappern, leise Musik von Randy Crawford.

Ibo liebt Randy Crawford. Sie hat vor zehn Jahren schon zu «One day I'll fly away» geheult. Heute macht sie den Café Latte am besten, wenn sie «Wild is the wind» singt:

Love me, love me, love me, say you do ...

Ja, auch in meiner Ibo steckt ein sentimentales Seelchen. Aber sie verbirgt es meist gut.

«Puppe! Sag mal, spinnst du!»

«Wieso? Es geht mir nicht g...»

«Du hast doch wohl 'nen Hackenschuss! Ich versuche seit Stunden, dich zu erreichen! Was ist mit deinem verdammten Handy los!?»

«Ich hab die Nummer gewechselt. Ibo, es tut mir ...»

«Die Nummer gewechselt? Sag mal, hast du eine Ahnung, was heute hier los war! Du kannst doch nicht so einfach abhauen! Dein Typ hockt hier rum und will von mir wissen, was eigentlich los ist. Und er glaubt mir nicht, dass ich keine Ahnung habe.»

«Philipp ist im Himmelreich?»

Obschon mir das nichts bedeuten sollte, kann ich mein Herz nicht von einer drastischen Geschwindigkeitsübertretung abhalten. Vor Freude. Weil er offenbar nach mir sucht. Oder vor Schmerzen, weil es mir doch nichts nützen würde, wenn er mich fände? Keine Ahnung. Wahrscheinlich beides.

«Ibo, was hat er denn gesagt?»

«Also, Puppe, ich habe ja keine Ahnung, was hier läuft. Aber eines kann ich dir sagen: Der Mann ist verdammt sauer. Und so wie ich das sehe, auch zu Recht. Er sagt, du hättest seine Anzüge mit Rotwein übergossen und den Teppich ruiniert. Stimmt das?»

«Ich hatte meine Gründe, das kannst du mir glauben. Du weißt genau, wie sehr mir daran gelegen ist, dass mein Partner ordentlich gekleidet ist.»

«Jetzt sag mir endlich, was passiert ist. Ich werde hier noch wahnsinnig. Warte mal, ich nehme das Telefon mit in die Küche ...»

«Ibo? Ich versteh dich nur noch ganz schlecht. Ibo?»

«Ja, ja. Ich muss ein bisschen leiser reden. Philipp sitzt an Tisch drei und äugt schon ganz misstrauisch zu mir rüber. Der ahnt sonst womöglich noch, dass ich mit dir spreche. Also, was war los? Lass nichts aus, übertreibe nicht, korrigiere die Fakten nicht zu deinem Vorteil. Sag mir einfach genau, was passiert ist.»

Ach, das tut gut.

Wenn ich mit Ibo spreche, weiß ich genau, dass ich nicht zu heulen, zu jammern oder zu brüllen brauche. Das beeindruckt sie überhaupt nicht, weckt weder Mitleid noch Solidarität in ihr. Sie ist nur an Fakten interessiert, anhand derer sie sich ihre Meinung und ihr Urteil bildet.

Ich hole tief Luft. Es gilt, sie von der Schwere des Vergehens zu überzeugen. Wobei ich mir keine Sorgen mache, denn alles, wirklich alles spricht gegen den unwürdigen Philipp von Bülow.

«Du erinnerst dich doch noch an Bente Johannson?»

«Natürlich.»

«Gestern Abend haben wir sie in der Paris Bar getroffen. Sie hat sich sofort auf Philipp gestürzt und ihn in eine Ecke gezogen. Das kam mir gleich so komisch vor. Am nächsten Morgen wollte ich Philipp erst mal kurzfristig verlassen, aber dann klingelte sein ...»

«Puppe, also jetzt mal bei allem Respekt. Du hast sie doch nicht mehr alle beisammen. Ehrlich. Die Geschichte hat mir Philipp vorhin auch erzählt. Ich weiß, dass du es hasst, wenn er dich stehen lässt und sich mehr als fünf Minuten nicht um dich kümmert. Und ich weiß, dass Bente Johannson ein rotes Tuch für dich ist. Das reicht gerade mal, um eine seiner älteren Boxershorts in Rotwein zu tunken. Aber all die teuren Anzüge? Puppe, das ist völlig maßlos.»

«Ibo, jetzt lass mich doch erst mal zu Ende erzählen! Du glaubst doch nicht im Ernst, das sei der Grund, warum ich ... hallo ... Ibo?»

«Wart mal 'nen Augenblick.»

Ich höre Geräusche.

Ihre Stimme wird lauter:

«Nein, wie kommst du darauf? Nein, das ist sie nicht. Verdammt, geh wieder an deinen Tisch, sie will auch gar nicht mit dir reden.»

Gerangel.

Jemand greift sich den Telefonhörer.

«Puppe? Bist du das!?»

Es ist mein Philipp! Mein Bülowbärchen mit der markanten, tiefen Stimme, mit der er auch Sean Connery synchronisieren könnte. Mein Philipp, der bestimmt heute Morgen keine Muße hatte, sich zu rasieren, dem die Bartstoppeln, von denen die ersten silbern glänzen, so wunderbar gut stehen. Man muss wissen, mit Dreitagebart sieht mein Philipp aus wie Clint Eastwood nach einem langen Ritt durch die Wüste von Nevada: männlich, verwegen, durstig.

«Puppe? Verdammt! Sag was!»

Sein lieblich Stimmchen klingt allerdings recht verärgert. Wenn er wütend ist, schwillt über seinem rechten Auge eine Ader an. Sie schimmert blau und gibt ihm etwas Unberechenbares, und das, obwohl er überhaupt nicht unberechenbar ist. Mein Philipp weiß immer genau, was er tut, selbst im Zorn bleibt er der kühle Denker.

Jetzt bloß nicht sentimental werden. Warum ist er eigentlich zornig? Was fällt ihm ein, mich anzubrüllen? Mich, die Leidende, die Geschundene, das Opfer. Ich bin im Recht, und es ist seine Schuld, dass ich wieder Single bin!

«Puppe, sag mir sofort, was dieses Theater soll!»

Ich schweige.

«Wo bist du!? Ich will dich auf der Stelle sehen! Verdammt nochmal, was ist nur in dich gefahren? Du schuldest mir eine Menge Erklärungen!» Er schnauft böse in den Hörer.

Ich halte die Luft an.

Dann höre ich mich mit fremder, klirrend kalter Stimme sagen: «Ich schulde dir gar nichts.»

Ich schalte mein Handy aus, lasse mich zurückfallen auf mein

Badetuch, schaue in den wolkenlosen, zärtlichen, weichen Sommerabendhimmel.

Und in meinen Augen beginnt es zu regnen.

18:30

Ich weiß nicht, ist Eifersucht eine schlechte Eigenschaft? Ich persönlich finde Eifersucht immer dann in Ordnung, wenn sie unbegründet ist.

Ach, was habe ich für köstliche Szenen inszeniert, was für tragische Ein-Frau-Stücke aufgeführt, an die ich mich bis heute gern erinnere. Im Grunde habe ich mir die Eifersucht angeschafft, um diesen erquickenden und ergiebigen Quell interessanter Dramen zu haben. Diesen Ausschnitt menschlicher Abgründe wollte ich keinesfalls brachliegen lassen.

Ich mag es, mich aufzuregen, besonders wenn ich ganz genau weiß, dass es keinen Grund gibt, mich aufzuregen. Das ist so herrlich wie krank sein, ohne sich krank zu fühlen. Wie getröstet zu werden, ohne traurig zu sein. Wie eine Wärmflasche gemacht zu bekommen, ohne Bauchweh zu haben.

Ich habe mich in die wunderbarsten Eifersüchteleien hineingesteigert, einfach um meinem Leben ein wenig mehr Farbe und mir selbst ein wenig mehr Gesprächsstoff zu geben.

Ich war zum Beispiel drauf und dran, Sebastian, meinen zweiten festen Freund, wegen Nena zu verlassen. Sie hatte gerade ihren Hit «99 Luftballons». Sebastian hatte sich, nach ihrem Konzert, lobend über ihre Frisur geäußert. Ich war tagelang beleidigt. Nein, die korrekte Formulierung ist wohl: Ich tat tagelang so, als sei ich beleidigt.

Ich kann mir alles einreden, wenn ich es wirklich will. Ich kann meine Zweierbeziehung durch zuvorkommende Kellnerinnen bedroht sehen, durch amerikanische Schauspielerinnen und, wenn ich mir sehr viel Mühe gebe, sogar durch unbekleidete Schaufensterpuppen. Ich will wirklich nicht unbescheiden wirken, aber ich halte mich für eine Naturbegabung in Sachen «Eifersucht, und wie man alles noch viel schlimmer macht». Ich könnte da wirklich Seminare an der Volkshochschule anbieten.

Und dennoch. Obschon ich aus jeder Mücke einen Elefanten mache, habe ich niemals wirklich mit dem Schlimmsten gerechnet. Ich habe es seltsamerweise nie in Erwägung gezogen, dass ich betrogen werden könnte. Und das, obwohl ich – ein Umstand, der mir wirklich hätte zu denken geben können – mehrmals betrogen worden bin.

Sebastian ist mit einer glubschäugigen Blondine intim geworden, während ich im Krankenhaus lag und mir drei Weisheitszähne rausoperiert wurden. Er hatte nichts Besseres zu tun, als es mir am Tag nach dem Eingriff zu beichten. Ich heulte drei Nächte lang – als hätten geschwollene Backen nicht schon gereicht. Ich sah aus wie ein Ochsenfrosch kurz vor der Explosion.

Ich habe Sebastian natürlich verziehen. Das hat aber leider nicht viel genutzt, weil er sich schon für die Glubschäugige entschieden hatte. Übrigens eine Wahl, die ich bis heute weder billigen noch auch nur in Ansätzen nachvollziehen kann.

Auch meine ganz, ganz große Liebe ist fremdgegangen. Ben Koppenrath – Erbe einer Buchhändler-Dynastie in Köln, wo ich drei Semester, ich glaube, Germanistik studiert habe – betrog mich mit meiner damaligen Mitbewohnerin. Das Unfassbare war, dass die dicker war als ich und wirklich nicht besser aussah.

Ich bin mir nicht sicher, was besser zu verkraften ist: wenn der Liebste bei seinem Seitensprung guten oder schlechten Geschmack beweist.

Ich persönlich habe, glaube ich, weniger Probleme, wenn ich mit seiner Affäre nachher ein bisschen angeben kann. Es wirft ja auch kein gutes Licht auf einen selbst, wenn man einen Mann liebt, für dessen Geliebte man sich im Freundeskreis genieren muss. Andererseits ist es auch nicht schön, wenn sich alle, denen man sein Leid klagt, klammheimlich wundern, warum der Typ überhaupt zu dir zurückgekehrt ist, nachdem ihn so ein Rasseweib rangelassen hat.

Was ich Ben damals zugute halten konnte, war, dass er anscheinend im Moment der frevelhaften Tat sehr betrunken war. Um nochmal altklug an dieser Stelle meinen Kumpel Goethe zu zitieren: «Mit diesem Trank im Leibe siehst du bald Helenen in jedem Weibe.»

Nach zwei Karaffen Sangria war aus meiner moppeligen Mitbewohnerin Ute eine schöne Helena und aus unserer gemeinsamen Wohnung ein Tatort geworden.

Interessant ist, dass Männer ihre Untreue gerne als biologische Notwendigkeit verkaufen. Treue hingegen empfinden sie als quasi übernatürlichen Akt der Selbstbeherrschung, für den sie Anerkennung und Lob erwarten. Genauso, wie wenn sie mal das Bad putzen.

«Fremdgehen ist wie onanieren», sagte schon der von mir ansonsten sehr geschätzte Howard Carpendale.

Um an dieser Stelle keinen falschen Eindruck zu erwecken: Selbstverständlich war ich rein unfreiwillig auf seinem Konzert im Berliner Kongresszentrum. Philipp hatte ihn wegen irgendwas juristisch beraten und zwei Freikarten bekommen. Die verfallen zu lassen wäre unhöflich gewesen, fand ich.

Bei den ersten zwei Liedern tat ich noch völlig unbeteiligt. Orientierte mich an Philipp von Bülow und schaute wie er immer wieder demonstrativ auf die Uhr, um mich so von der Darbietung auf der Bühne zu distanzieren. Nach einer halben Stunde hörte ich mich klatschen und mit ungewohnt schriller Stimme «Howie!

Howie!» schreien. Nach einer Stunde musste ich die Dame neben mir um ein Tempo bitten. Ich hatte während eines Liebeslieds was ins Auge bekommen.

In der Pause kaufte ich mir einen Carpendale-Schlüsselanhänger und einen Carpendale-Kaffeebecher und ein Leuchtobjekt in Herzform, das ich in der zweiten Hälfte bei allen langsamen Liedern schwenkte.

Beim finalen Medley hielt mich dann nichts mehr auf dem Sitz.

«Deine Spuren im Sand – Tür an Tür mit Alice – Nachts, wenn alles schläft – Hello again – Wem erzählst du nach mir deine Träume.»

Konnte eigenartigerweise die meisten Texte auswendig. Ich drängelte mich Richtung Bühne, um dem Künstler möglichst nah zu sein. Was völlig unnötig war, weil Philipp selbstverständlich zur After-Show-Party in Anwesenheit des Interpreten eingeladen war. Aber ich bin so. Die Begeisterung hatte mich übermannt. Und ich zeige meine Gefühle nun einmal gerne. Außerdem fühlte ich mich von der Menge um mich herum unterstützt und mitgerissen. Wenn alle begeistert sind, bin ich's auch. Wenn alle traurig sind, bin ich's auch. Man könnte mich zur Beerdigung einer mir völlig unbekannten Person schicken, ich würde bitterlich weinen, wenn um mich herum genügend Tränen flössen. Im Grunde ein Phänomen wie auf der England-Fähre: Kotzt einer, kotzen alle.

Howard kam mir auf der Bühne ganz nah, und ich könnte schwören, dass er viele Sekunden lang nur mich angeschaut hat.

Wahrscheinlich lernen die so was auf Seminaren für Superstars und Spitzenpolitiker: «Wie gucke ich so in eine Menge rein, dass jeder glaubt, ich würde nur ihn anschauen?»

Die beiden Frauen rechts und links von mir kreischten hysterisch «Howiiiiiiie!». Blöde Ziegen. Als seien sie gemeint. Ich drehte mich um und schaute in die wogende Menge. Alle sangen mit, umarmten sich, winkten. Ich stellte mir vor, ich stände dort oben im Scheinwerferlicht und die würden alle mich meinen: «Puppe! Puppe!»

Ja, ich glaube, ich hätte die nötige Bühnenpräsenz.

Tausende fingen an zu schunkeln, rechts, links, rechts, links. Menschen wie Seegang. Ich entdeckte Philipp sofort. Der Einzige in der ganzen Halle, der sich nicht bewegte und die Arme vor der Brust verschränkt hatte – wie ein Sonderschullehrer, der in der großen Pause Aufsicht hat.

Ich bin sicher, dass Herr Carpendale mit seiner Onanie-Theorie vielen Männern aus den Abgründen ihrer Seelen gesprochen hat. Merkwürdigerweise wird Frauen diese Art der Selbstbefriedigung am lebenden Objekt nicht so gerne zugestanden. Bei Frauen muss es immer gleich was zu bedeuten haben.

Na, ich weiß nicht. Habe gelesen, dass mittlerweile mehr Frauen ihre Männer betrügen als andersrum. Das hat mich irgendwie gekränkt, weil ich diesen Trend anscheinend verpasst habe. Ich bin zwar nicht aus Prinzip treu, sondern eher aus Schüchternheit – aber das Ergebnis ist schließlich dasselbe.

Ich meine, gut, Honka habe ich natürlich betrogen. Einige andere auch, aber das ist etliche Jahre her. Da war ich noch jung und zellulitisfrei und, auch das muss man sagen, viel weniger anspruchsvoll.

Ich mag mittlerweile nur noch mit Männern schlafen, die mir sympathisch sind. Solche, bei denen ich mir wenigstens dreißig Minuten lang einbilden kann, ich könnte mich im Prinzip auch in sie verlieben. Aber ich treffe einfach nicht oft verliebenswerte Männer. Nicht mal solche, bei denen ich es mir mit viel gutem Willen einreden könnte. Und wenn, dann schaue ich immer ganz schnell weg, weil ich nicht möchte, dass der Betreffende denkt, ich fände ihn verliebenswert.

Insofern bin ich mittlerweile treu, ohne es sein zu wollen. Irgendwie auch doof. Ich sollte versuchen, das zu ändern. Sollte lernen, mich wie ein Mann zu verhalten – also wie eine Frau ohne Emotionen, dafür aber mit schlechtem Charakter. Betrügen, benutzen und dann bye, bye.

Zum Betrügen ist es jetzt leider zu spät. Bin ja wieder Single. Aber, es wäre doch gelacht, wenn sich nicht jemand zum Benutzen finden ließe.

19:10

Natürlich hat er Ibo nicht erzählt, was wirklich vorgefallen ist. Er denkt wahrscheinlich selbst, ich würde wegen des unerfreulichen Abends in der Paris Bar eine pompöse Show abziehen. Er hat keine Ahnung – und folglich kein schlechtes Gewissen. Er weiß nicht, dass ich es weiß. Er weiß nicht, dass ich die Nachricht auf seinem Handy abgehört und dann gelöscht habe. Er weiß theoretisch, dass ich Grund habe, ihn zu verlassen, aber er weiß nicht, dass ich den Grund kenne.

Wird er es jemals erfahren? Von mir nicht. Soll er sich doch sein Leben lang fragen, was in jenen schicksalhaften frühen Morgenstunden wirklich geschehen ist. Soll er ruhig glauben, ich hätte mich von ihm getrennt, ohne zu wissen, dass er mir den Grund geliefert hatte. Soll er ruhig glauben, ich hätte einfach aufgehört, ihn zu lieben. Ja, das wirft ein gutes Licht auf mich. Puppe Sturm geht, weil sie gehen will. Nicht, weil sie gehen muss. Ich stehe als Siegerin da – obschon ich alles verloren habe. Aber das braucht Philipp von Bülow nicht zu wissen. Ich werde schweigen – wie es sonst eigentlich nicht meine Art ist.

Würde jetzt gern mit jemandem reden. Ibo kann ich erst am späten Abend zu Hause anrufen, denn wer weiß, wie lange Philipp noch im Himmelreich sitzt und eingehende Anrufe überwacht. Wenn es mir nicht so total egal wäre, würde es mich ja freuen, dass er extra meinetwegen nach Hamburg gefahren ist, um dort mein Café zu observieren.

Vielleicht hat er ja auch schon einen Privatdetektiv engagiert? Oder lässt Suchmeldungen über sämtliche Musiksender schicken? Er weiß, dass ich Wortbeiträgen im Radio nichts abgewinnen kann. Vielleicht ist er gerade in meiner Wohnung, liegt auf meinem Bett und drückt sich mein Nachthemd ans tränennasse Gesicht?

Auweia, hab ich den hübschen Delphin-Dildo weggeräumt, bevor ich gestern Morgen nach Berlin aufgebrochen bin?

Vielleicht fährt Philipp gerade unsere Orte ab?

Unsere Glücks- und Liebesorte.

Der versteckte Steg an der Alster, wo wir vergangenen Sommer herrlich gepicknickt haben, bis wir von einem misanthropischen Schwan, der mir in die Füße beißen wollte, in die Flucht geschlagen wurden.

Die Waldlichtung im Niendorfer Gehege, wo wir uns unbeobachtet glaubten – und erst beim Anziehen feststellten, dass wir das nicht waren.

Die Bank im Jenischpark, wo wir ganze Nachmittage damit verbracht haben, uns gegenseitig aus unseren Lieblingsbüchern vorzulesen.

Das La Scala in Eppendorf, wo die nette Kellnerin immer ungefragt zwei doppelte Portionen Spaghetti Aglio Olio brachte.

Und schließlich der Briefkasten, wo alles anfing. Ein paar dunkle Brandflecken sind unter dem neuen Anstrich noch zu erahnen, und der Briefschlitz ist ein bisschen verzogen – wie ein schief lächelnder Mund. An unserem zweiten Jahrestag sind wir abends dorthin gegangen.

Philipp hat den Champagner, ich hab die Gläser getragen. Und dann haben wir angestoßen mit unserem Liebesbriefkasten, und ich schwöre, ich hatte nicht den leisesten Zweifel an der guten Absicht des Schicksals, das uns zusammengebracht hat. Ich war mir sicher, dass dieser Mann richtig für mich war. Ganz sicher. Genauso sicher, wie ich mir damals war, als ich an meinem achtzehnten Geburtstag zum ersten Mal ein Spielcasino betrat und meine ganzen hundert Mark auf die achtzehn setzte.

Schluss mit dem Romantisieren. Schließlich habe ich damals auch meine hundert Mark verloren. Und jetzt stellt sich halt raus, dass der richtige Mann eben doch der falsche war. Kann passieren. Kein Grund, Trübsal zu blasen.

Mein Haar sitzt gut, mein Bauch ist flach, weil ich den ganzen Tag noch nichts gegessen habe. Ich bin weit unter vierzig, mein Hund gibt Pfötchen auf Kommando, mein Auto hat kein Dach, meine Bikinizone keine Stoppeln, und unweit von mir liegen drei junge Männer in der Abendsonne, von denen einer recht interessiert zu mir herüberlächelt.

Oder bilde ich mir das nur ein? Na und? Wenn er jetzt noch

nicht interessiert ist, wird er's bald sein. Die Zeiten der Selbstzweifel sind vorbei.

Ich grinse aufmunternd in seine Richtung und versuche dann, möglichst reizvoll in Richtung Wasser zu schlendern. Trage zum Glück meinen Push-up-Bikini. Eine Erfindung, die den Nobelpreis verdient – was mir alle Frauen, die noch vor zehn Jahren so gut wie brustlos ins Wasser gehen mussten, bestätigen werden.

Versuche mir vorzustellen, was der leckere Junge sich wohl denkt bei meinem atemraubenden Anblick: «Klasse Figur. Fragwürdiger Charakter. Gefährliche Ausstrahlung. Wie ein Bond-Girl: Du weißt schon vorher, dass sie versuchen wird, dich nachher umzubringen, aber du schläfst trotzdem mit ihr.»

Ich streiche mir lässig durchs Haar und bete, dass ich die Frisur auch ohne Burgis Hilfe nach meinem Bad im Meer wieder hinkriege. Ich werfe noch einen koketten Blick über die Schulter, um zu kucken, ob er kuckt.

Er kuckt. Gut so.

Miss Marple moppelt hinter mir her. Ich gehe langsam ins Wasser, Schritt für Schritt. Anmutung wie Brooke Shields in «Die blaue Lagune». Auf in den Kampf.

19:45

Habe zwanzig Minuten voll kindlicher Freude und dennoch anmutig und gleichsam eine unwiderstehliche Erotik ausstrahlend im Wasser geplanscht. Spürte ständig die Blicke des hübschen Jungen. Ich gab mir mit jeder einzelnen Bewegung Mühe. Als stünde ich vor einem waaahnsinnig berühmten Regisseur, der seine Hauptdarstellerin sucht.

Wenn ich weiß, dass ich beobachtet werde, bin ich ja nicht mehr ich selbst. Und ich halte viel davon, nicht ich selbst zu sein. Wenn ich beobachtet werde, beobachte ich mich automatisch auch. Und tue das, was ich sehen wollen würde beim Mich-selbst-Beobachten. Das klingt jetzt etwas kompliziert. Aber es lohnt sich, meinem verschlungenen Gedankenpfad zu folgen.

Wäre es nicht besser, wir alle würden uns zu jeder Zeit so benehmen, als würden wir wissen, dass wir von einem Menschen, dem wir gefallen wollen, beobachtet werden?

Wir würden nicht mehr in der Nase bohren, sondern immer ein Taschentuch benutzen.

Wir würden keine schlimmen Schimpfwörter mehr brüllen, wenn sich vor uns eine Frau in den fließenden Verkehr einfädeln will und dabei den Verkehr zum Stillstand bringt.

Wir würden nicht mehr schlecht über Leute reden, die nicht anwesend sind, und viel öfter Arte und viel seltener RTL 2 gucken.

Wir würden gütig lächeln, wenn uns kleine Kinder an der Supermarktkasse den Einkaufswagen in die Kniekehlen rammen oder sich mit schokoladeverschmierten Händen an unsere sandfarbene Wildlederhose klammern, um das Gleichgewicht nicht zu verlieren.

Wir würden uns in Geduld üben, wenn wir in der Buchhandlung von einer Praktikantin bedient werden, die noch niemals zuvor eine Bestellung in den Computer eingegeben hat.

Wir würden uns nicht gehen lassen. Würden regelmäßig unsere Mitesser ausdrücken, abgestorbene Hautzellen entfernen, beim Arbeiten am Computer nicht an den Nägeln kauen oder kaum verheilte Pickel wieder aufkratzen. Und wir würden den Müll trennen.

Ja, diese Welt wäre eine bessere Welt, wenn wir uns alle beobachtet fühlen würden. Wir wären alle so perfekt, wie ich es war beim Bad in der vom lieblichen Rot der untergehenden Sonne beschienenen Nordsee.

Als ich ganz erschöpft von meiner schauspielerischen Leistung den Wellen entstieg, war der Strand menschenleer.

Ich hatte mein Bestes gegeben – und keiner hatte mir dabei zugeschaut.

Der hübsche Junge war fort.

Bin Darstellerin ohne Publikum.

Bin schön ohne Spiegel.

Singe ohne Zuhörer.

Tanze ohne Musik.
Lache ohne Freude.
Bin toll ohne Applaus.
Bin Frau ohne Mann.
Bin unglücklich.
Natürlich.
Was sollte ich auch anderes sein?

20:10

Herbert schaut mich an, als hätte er mich noch nie gesehen. Als würde er befürchten, ich könne Ungeziefer einschleppen.

Ich denke: Wieso ist das Leben derartig ungerecht? Wieso ist es gut zu denen, denen es doch sowieso gut geht, und schlecht zu denen, die wirklich schon genug Mist am Hals haben?

«Hallo, Herbert, alles klar?», versuche ich möglichst selbstsicher zu sagen. Aber ich höre selbst, dass es klingt wie «Bitte, Buana Massa, schenk mir deine Gunst und gib mir wenigstens einen Tisch in der miesesten Ecke.»

«Wir sind voll», sagt Herbert wie ein Richter, der ein Urteil spricht, gegen das es keine Berufung gibt.

Herbert ist der Gott von Sansibar. Ihm gehört das legendäre Restaurant in den Dünen. Eine Bretterbude, die er vor Urzeiten für wenig Geld gekauft und dann vergrößert hat.

Heute muss man Wochen vorher reservieren, es sei denn, man ist bekannt. Und ich dachte ehrlich gesagt, ich sei bekannt. Hatte damit gerechnet, zum besten Tisch geführt zu werden, vorbei am neidvoll blickenden Plebs. Hatte damit gerechnet, von Herbert persönlich nach meinen Wünschen und nach meinem Befinden gefragt zu werden, und sogar gehofft, er würde sich eine paar Minuten an meinen Tisch setzen und mich so vor den anderen Gästen adeln. Stattdessen höre ich mich nun untertänigst murmeln: «Ich bleibe auch nicht lange. Nur eine Viertelstunde oder so.»

Herbert schaut mich an, als hätte ich nässenden Ausschlag, und kurzzeitig hoffe ich, dass er mich doch noch wiedererkennt.

Ich war zuletzt im März hier, und Herbert hatte eine kleine Verbeugung gemacht und mich herzlich willkommen geheißen. Ich war Teil einer sehr geschlossenen Gesellschaft, die den fünfzigsten Geburtstag von Julius Schmitt feierte.

Herbert hatte Philipp sogar mit Namen begrüßt, und ich weiß noch, dass ich es mir damals leisten konnte, den Sansibar-Gott nur eines kurzen Blickes zu würdigen und für einen simplen Gastwirt zu halten.

Nach dem Dessert kam Herbert an unseren Tisch und erzählte uns seine Lebensgeschichte. Dass er nie Urlaub mache, weil er ja quasi im Paradies lebe. Dass ihm sein Ruhm nie zu Kopf gestiegen sei und er bis heute jeden Gast unabhängig von Rang und Namen wie einen König behandle.

«Dahinten ist noch ein Stuhl frei. Aber nur bis halb neun.»

Herbert dreht sich weg und begrüßt eine Gast mit weit ausholendem Handschlag und der Frage, wie es der Familie gehe.

Ich nicke dankbar und überlege kurz, ob ich sagen soll, dass ich übrigens mit Julius Schmitt verabredet sei. Aber ich traue mich nicht. Muss dringend noch arbeiten an meinem schlechten Charakter.

Nun sitze ich auf dem schlechtesten Freiluftplatz, den man haben kann: ein erbärmliches Grüppchen Tische und Stühle zwischen parkenden Autos, gegenüber dem Aufgang zur Veranda. Ein Klappstuhl, dessen Beine im Sand versinken, mit Blick auf die guten Plätze. Das ist ungefähr so, wie wenn man im einzig hässlichen Neubau einer Straße wohnt, in der sonst nur prächtige Gründerzeitvillen stehen.

Was soll ich tun? Aufstehen und laut sagen, dass ich mal Russel Crowe in Echt gesehen habe? Dass ich ein Szene-Café in Hamburg führe? Dass ich eine neue Frisur vom zweitbesten Friseur Berlins habe? Dass mein Hund zwar hässlich, aber selten ist? Dass ich Julius Schmitt kenne und dass ich die Freundin von Dr. von Bülow bin? Verzeihung, die Ex-Freundin.

Ja! Ich bin derartig toll, ich kann es mir sogar leisten, einen Anwalt zu verlassen, der im berühmtesten Restaurant von Sylt mit Namen bekannt ist! Ich sitze auf einem Klappstuhl und habe den Mut, einen zum Teufel zu schicken, den man niemals auf einen Klappstuhl setzen würde!

«Herbert», sage ich leise, «Herbert, wenn du wüsstest, dann würdest du mich auf einen Thron setzen.»

Ich bestelle eine Flasche Veuve Cliquot, was die Augenbraue des Kellners wenigstens für eine Millisekunde respektvoll in die Höhe schnellen lässt.

Champagner auf'm Klappstuhl.

Amelie Puppe Sturm lässt sich ab sofort nicht mehr schlecht behandeln. Ich rufe den Kellner nochmal zurück und sage ihm, er möchte noch ein Schälchen Kaviar für mich und ein Schälchen Evian für meinen Shar Pei bringen.

Der Kellner nickt gehorsam, und ich lehne mich zurück, um über etwas nachzudenken. Irgendwas, was mich ablenkt von dem, worum meine Gedanken kreisen würden, wenn ich sie denn ließe.

Ich persönlich halte ja sehr viel von Ablenkung und Verdrängung. Das Talent, verdrängen zu können, kann gar nicht hoch genug bewertet werden und ist etwas, was Männer ungerechterweise können und Frauen erst mühsam lernen müssen.

Da besuchen wir jahrelang für teuer Geld Therapeuten. Machen Urschrei-Kurse, um unsere Wut rauszulassen, aquarellieren in der Toskana, um unsere Mitte zu finden, quatschen Jungianern, Freudianern und Adlerianern die Hucke voll, gehen zu Eheberatern, Paarberatern, Sexualberatern, Erziehungsberatern und Karriereberatern. Ständig suchen wir Rat. Ständig sind wir auf der Suche nach jemandem, der für uns unsere Probleme löst.

Freundinnen! Ich habe den ultimativen Rat: Behaltet eure Probleme. Verdrängt sie einfach. Ab damit in den Hinterkopf, von wo aus sie sich nach längerfristiger Nichtbeachtung beleidigt ins Unterbewusstsein zurückziehen. Da versuchen sie dann ein bisschen Schaden anzurichten, was ihr natürlich nicht bemerkt, weil ihr mit was anderem beschäftigt seid. Eure Probleme werden sich langweilen, wie der Klassenclown in der letzten Reihe, wenn sich keiner zu ihm umdreht, und sich irgendwann vor lauter Langeweile selber lösen. Ja, das ist meine Theorie.

Männer sind Meister der Ablenkung. Die merken ja oft gar nicht, dass sie ein Problem haben, weil sie ständig irgendwelche Termine haben. Wenn die Haarausfall bei sich feststellen, gehen sie schnell Squashen und nachher ein Bierchen trinken. Werden sie von der Liebe ihres Lebens verlassen, schlafen sie mit einer, die wenigstens größere Brüste hat. Fühlen sie sich einsam, gehen sie ein Bierchen trinken. Sind sie traurig, gehen sie in einem Film, wo sehr viele Menschen auf sehr unschöne Weise ums Leben kommen – das heitert sie auf. Und anschließend gehen sie noch ein Bierchen trinken.

Wenn Frauen sich weniger Zeit nehmen würden, über sich selbst, ihre Beziehung, ihre Kinder, ihre Eltern und die Probleme ihrer sieben engsten Freundinnen nachzudenken, dann hätten sie weniger Probleme.

Männer lenken sich von unerwünschten Gefühlen ab. Frauen kosten sie aus. Ja, sie legen sich sogar bei Kerzenschein in die Badewanne und hören Lieder, die alles nur noch schlimmer machen. Sie hören sie laut, und sie hören sie immer wieder.

Hier nun meine persönliche Top Vier der Songs, die Frauen in Phasen seelischer Zerrüttung auf keinen Fäll hören sollten. Alle vier sind großartig und von mir gewissenhaft erprobt.

Die anbetungswürdige Nummer eins, ja, es kann nur einen geben: R. Kelly mit «When a woman's fed up».

Ich habe dieses Lied unvorbereitet gehört, im Auto, samstagmorgens auf dem Weg zur Lebensmittelabteilung von Karstadt-Eppendorf.

Stell es dir so vor: Es beginnt harmlos, vielleicht bloß ein ganz kleines bisschen beunruhigend, aber du ahnst noch nichts Böses. Machst etwas lauter. Etwas berührt sanft dein Herz, du hast das Gefühl, auf etwas zu warten, auf etwas zu hoffen. Und dann holt es dich ein. Erwartbar und doch plötzlich:

But now the up is down
And the silence is sound

I hurt you too too many times
Now I can't come around.

Ich sage euch, ich musste rechts ranfahren, weil es mich in meinen Grundfesten erschütterte.

Meine Nummer zwei ist von Boy George. Ich habe dieses Lied durch Zufall auf einer ansonsten nichtsnutzigen CD gefunden. Es heißt «If I could fly» und beginnt mit einer pfadfinderhaften Gitarre, die nach Wehmut und nach lange her klingt. Und dann singt eine traurig-schöne Stimme einem mitten ins Herz hinein, und ich finde, dass Liebende, die dieses Lied aneinander erinnert, zu beneiden sind. Alle anderen macht es völlig fertig.

And oh if I could fly
I said oh, if I could fly
Don't you know that if I could fly
I'd take to the sky
Yes I would.

Nummer drei ist die göttliche Mariah Carey. Kein angebrochenes Herz, das nicht vollends zersplittern würde bei «My all». Spätestens bei Minute 2:54, dem finalen Refrain. Ein absoluter Tränenschocker:

I'd give my arm to have
just one more night with you
I'd risk my life to feel your body next to mine
'Cause I can't go on livin'
in the memory of our song
I'd give my arm for your love tonight.

Nummer vier ist Glashaus mit «Wenn das Liebe ist». Dieses Lied ist Liebeskummer. Du fühlst dich wie frisch verlassen, auch wenn du gerade frisch verheiratet bist.

Wenn das Liebe ist
warum bringt es mich um den Schlaf?

20:23

Wenn das Liebe ist,
warum raubt es mir meine Kraft?

Ich kann auch dieses verfluchte Lied leider auswendig. Jetzt hat es angefangen, in meinem Kopf zu spielen, und wird alles noch schlimmer machen.

Hab Angst vor dem Morgen
mir graut vor der Nacht ...

Ist ja ganz genauso wie bei mir. Habe keine Ahnung, wo ich heute Nacht schlafen werde. Und morgen? Morgen ist mein Geburtstag. Das Aufwachen – falls ich überhaupt einschlafe – wird schrecklich sein. Dieser kurze Moment, nur einige gnädigen Sekunden, wo du noch nicht weißt, wer du bist, wo du bist und in welcher Art von Leben du erwachst. Du könntest jung sein oder alt, es könnte Sommer sein oder ewiger Frühling. Es könnte sogar alles gut sein. Und dann fällt es dir wieder ein:

Warum?
Warum bist du nicht da?

20:25

Schluss damit. Die Zeiten der inszenierten Selbstkasteiung, der kerzenbeleuchteten Badewannen-Kummerorgien sind vorbei. Mein Hirn-Player spielt zwar gerade R. Kelly im Duett mit Boy George, und mein gebrochenes Herz ist von Kerzen beschienen, aber ich straffe meine Schultern, kraule meinem Faltenhund die Falten, tunke Blinis in Kaviar und versuche wie eine Königin auf meinem Klappstuhl zu thronen.

Jetzt wird sich abgelenkt. Wenn das nicht klappt, kann ich mich immer noch intensiv meinem Kummer hingeben. Das klappt auf jeden Fall.

20:29

Meine Zeit im Sansibar läuft ab. Ab halb neun ist selbst mein schäbiger Klappstuhl reserviert. Dass man so was überhaupt reservieren kann ...

Habe erst die Hälfte des Champagners getrunken. Werde ihn am Strand leeren, Burgis Kummer-Kassette über meinen Walkman hören und es mir so richtig schön schlecht gehen lassen.

Nein, Verdrängung ist einfach nicht mein Ding. Ablenkung liegt mir auch nicht. Gucke trübe in mein leeres Kaviar-Schälchen. Abendrot lackiert den Himmel so kitschig, dass er aussieht wie eine Fotomontage.

Na toll. Um mich herum sieht es aus wie auf einer Sylt-Postkarte, und in mir drin sieht es aus wie ein verregneter Novembertag in einem rumänischen Industriegebiet.

20:30

«Guten Abend.»

Hä?

«Darf ich dich an meinen Tisch einladen?»

Wer stört mich bei meiner Depression? Wer wagt es, mir meine schlechte Laue zu verderben? Wer duzt mich ungebeten?

Ich hebe unwillig meine trauerumflorten Augen. Erkenne ihn wieder. Und denke: «Für dich habe ich zwanzig Minuten im Wasser herumgetollt, habe mich von dir beobachtet gefühlt, ohne von dir beobachtet zu werden. Mit dir wollte ich mich ablenken, aber du warst nicht da, als ich dich brauchte. Egal. Ich brauche dich immer noch. Dringender denn je.»

Ich kneife die Augen zusammen, um weniger zutraulich, dafür aber umso interessanter auszusehen und sage: «Darf mein Hund auch mitkommen?»

«Natürlich. Ist mir ein Vergnügen. Ich sitze gleich da vorne.»

Er lächelt. Süß.

Ich greife nach meinem Champagner und nach dem Arm, den er mir formvollendet reicht. Was für ein entzückender Junge.

Wir wechseln vom Parkett zur Loge. Von «Hier wirst du geduldet» zu «Hier bist du von Herzen erwünscht».

Herbert ist mein sozialer Aufstieg nicht entgangen. Er trägt mir persönlich den Champagner-Kühler hinterher, um dann Miss Marple Evian nachzuschenken. Jovial klopft er meinem Begleiter auf die Schulter:

«Ich mach dir was ganz Besonderes auf, Oliver.»

Oliver. So, so.

Mein Prinz ist höchstens achtundzwanzig. Er hat kräftige Schultern, blondes Kurzhaar und sieht aus wie einer dieser strahlenden Jungmänner in Ferrero-Küsschen-Werbespots, die ganz plötzlich Besuch von vielen fröhlichen Freunden bekommen und sich darüber wie Bolle freuen. Er sieht aus, als sei die größte Katastrophe in seinem Leben ein Loch im Auspuff seines Dreier-BMWs gewesen. Sieht aus wie einer, der nichts hat, was er verdrängen müsste. Der keinen Keller hat, in dem er Leichen verstecken könnte.

Junge, dich schickt der Himmel! Genau das Richtige für mich! Ablenkung! Verdrängung! Und wenn's sich ergibt, gerne auch noch Sex ohne Liebe.

Habe ich schon den Freund meiner Studienkommilitonin Biggi erwähnt? Als der erfuhr, dass sie ihn mit einem seiner besten Freunde betrogen hatte, setzte er sich ins Auto und raste von Hamburg nach Kassel, um dort Biggis Schwester zu vögeln. Danach fühlte er sich gleich viel besser.

Oliver hebt seinen kalifornischen Chardonnay, vertieft sein Dauerlächeln noch ein wenig und sagt:

«Wer bist du, was machst du, wo lebst du? Ich will alles wissen, was es über dich zu wissen gibt.»

Schnuckelig. Aus welchem Film hat er das wohl geklaut? Klingt irgendwie nach dem Frauenversteher Richard Gere.

Ich lehne mich ein wenig nach vorn, streiche meinem Prinzen kurz mit dem Zeigefinger über die Wange und schaue ihn ungeheuer südländisch an – in etwa so, wie es die dunkelhäutige, wild gelockte Schönheit in der Nescafe-Werbung tut. Dann höre ich mich mit erstaunlich tiefer Stimme sagen:

«Das wird dann aber eine lange Nacht, Oliver.»

Ich versuche seinen Namen so auszusprechen, als würde es sich um einen paradiesischen Ort auf Guadeloupe handeln: «Oohlivehr.»

«Ich habe viel Zeit», sagt er.

Und dann: «Nenn mich Olli.»

Wie blöd von ihm. «Olli» klingt doch total unmännlich. Da hat er so einen schönen Namen und legt auch noch Wert darauf, ihn freiwillig zu verhunzen. Ich halte viel von Kosenamen wie Schnuppel, Puschelchen oder Chefbär. Aber Verkleinerungsformen des Taufnamens schätze ich gar nicht. Das ist eine Untugend. Mittlerweile werden ja sogar Namen verkleinert, die sich dadurch vergrößern: Dirk wird Dirki, Paul wird Paulchen, Nadja wird Naddel und schließlich Naddelchen.

Ich sage: «Nein danke. Oliver gefällt mir besser. Wir sind doch schließlich erwachsen, oder ...?» Hä? War ich das? Sprach meine Stimme gerade diese lässigen Worte?

Oliver schaut mich genauso überrascht und ehrfurchtsvoll an, wie ich mich anschauen würde, wenn ich mir gegenübersäße.

Wow! Ich bin auf dem besten Wege ein cooles, verführerisches, wildes, gefährliches, gemeines, atemraubendes Weib zu werden. Woher kann ich das nur? Welche Talente haben da jahrzehntelang in mir brachgelegen?

Ich bitte den Kellner, mir ein Päckchen Gitanes ohne Filter zu bringen. Und dann, dann lege ich los.

«Ich bin Saskia», sage ich und streiche mir eine getönte Strähne hinters Ohr. «Und wenn du mehr wissen möchtest, musst du mich schon fragen.»

Zu meiner Schande muss ich gestehen, dass ich in meinem Leben nie viel gelogen habe. Früher war ich zu brav und zu feige. Nun ja, eigentlich bin ich das heute noch. Ich habe zum Beispiel sehr gesunde Zähne, weil ich mich als Kind nie getraut habe, vor dem Schlafengehen zu behaupten, ich hätte meine Zähne schon geputzt. In der Grundschule galt ich als ziemlich faul, weil ich meine Hausaufgaben häufig nicht machte. Aber ich weiß zuverlässig, dass etliche meiner Mitschüler fauler waren als ich – bloß haben die sich eben nicht gemeldet, wenn die Lehrerin fragte: «Und, wer von euch hat seine Hausaufgaben nicht gemacht?»

Um nicht missverstanden zu werden: Ich lüge natürlich ständig. Aber das sind keine mutigen, aufsässigen, eigennützigen, Karriere fördernden Lügen. Mein Metier sind die feigen, die bequemen, aber immerhin auch die menschlich wertvollen Unwahrheiten.

Ich antworte immer «Danke, sehr gut», wenn mich ein Kellner fragt, ob es mir geschmeckt hat. Selbst wenn das Essen bloß fußwarm war und so eklig schmeckte, dass ich es stehen lassen musste, sage ich noch: «Es war sehr lecker, bloß ein bisschen zu viel.»

Wenn Ibo sich ein Kleid kauft, in dem sie aussieht, als sei sie in einem Zweimannzelt stecken geblieben, würde ich ihr nie die Wahrheit zumuten. «Ganz gut», sage ich dann, «aber das rote, das du neulich anhattest, gefällt mir noch besser.» Eine pädagogisch geschickte Form der Lüge, wie ich finde. Warum soll ich Ibo unglücklich machen? Das Kleid ist gekauft und im Zweifelsfall nicht umzutauschen, weil runtergesetzt, denn Ibo macht gerne Schnäppchenkäufe.

Mir ist es ehrlich gesagt völlig wurscht, wie Ibo aussieht. Sie empfindet das als unaufmerksam. Ich als wahre Freundschaft. Mir ist doch ihre Frisur egal, ihr Körperfettanteil, ihr verirrter Geschmack, ihr hellblauer Lidschatten, der so out ist, dass er fast schon wieder in sein könnte. Alles egal. Sie ist meine Freundin. Punkt. Aus. Ich liebe sie von Herzen, so wie sie ist. Sie könnte eine Gasmaske tragen, ich würde trotzdem mit ihr ins edelste Restaurant der Stadt gehen – unter anderem auch deswegen, weil mir die Gasmaske wahrscheinlich gar nicht auffallen würde.

Philipp belüge ich in dieser Hinsicht übrigens nicht. Aber den liebe ich ja auch nicht so, wie er ist. Einige hässliche Hosen, von denen er partout nicht lassen wollte, habe ich einfach heimlich weggeschmissen. Er sucht bis heute nach ihnen, und ich helfe ihm dabei mit Unschuldsmiene. Ich sage ihm auch klipp und klar, wenn ich mich von ihm schlecht behandelt fühle und wenn sein Charakter mal wieder zu wünschen übrig lässt. Sosehr ich ansonsten Wert auf Konfliktvermeidung lege, so wenig bin ich in einer Partnerschaft an Harmonie interessiert. Ich habe Philipp erst neulich ...

Ach nee, lieber nicht an Philipp denken. Der ist es nicht wert.

Bin lässig und verführerisch. Und ich habe heute Abend die einmalige Gelegenheit, all die Lügen nachzuholen, die ich in meinem Leben nicht gelogen habe. So long, Amelie Sturm. In dieser Nacht werde ich mich neu erfinden.

«Saskia», sagt Oliver, «ich nehme nicht an, dass ich dich Sassi nennen darf?»

Er lächelt schüchtern, und ich freue mich, dass er ein bisschen Humor hat. Macht die Sache ja wesentlich amüsanter.

Auf Dauer sind humoristische Einwürfe des Gegenübers notwendig für einen erfüllten Abend.

«Nicht, wenn du möchtest, dass ich mich angesprochen fühle.»

«Saskia» – mmmh, mein neuer Name aus seinem Mund, das ist wie Buttertrüffel, die einem gerade auf der Zunge zergehen –, «was machst du, wenn du nicht gerade auf Sylt abhängst?»

Mist, verdammter. Diese jungen Menschen haben eine Ausdrucksweise am Leib, die einen völlig aus dem Konzept bringt. «Abhängen», das sagen normalerweise nur Halbstarke vom Lande und peinliche alte Säcke, die gehört haben, dass «die jungen Leute» so was sagen. Seit ich nicht mehr jung bin, rede ich auch nicht mehr so, als ob ich jung sei. «Voll krass», «voll fett», «was geht bei dir am Wochenende?» – so etwas kommt mir nicht über die Lippen.

Aber Oliver lächelt so nett, hat eine rührende Zahnlücke zwischen den oberen Schneidezähnen. Ach, ich darf die ganze Sache hier nicht so eng sehen. Er muss ja nicht fürs Leben reichen. Ich will doch bloß die Nacht mit ihm verbringen, drei bis fünf repräsentative Orgasmen vortäuschen – und dafür sorgen, dass Philipp davon erfährt. Lecker Rache.

«Wenn ich nicht gerade ein Wochenende auf Sylt VERBRINGE» – ich schaue ihn strafend an, vielleicht merkt er was und drückt sich in Zukunft gewählter aus –, «lebe ich in Berlin und New York. Ich mache Werbung.»

Weiß auch nicht, wie ich darauf komme. Aber meines Romanwissens nach arbeiten Frauen, die Saskia heißen, immer in der Werbung. Und New York fiel mir ein, weil mir New York immer als Erstes einfällt, wenn ich an Sehnsuchts-Städte denke. Ich war noch nie da. Und ich bin die Einzige, die ich kenne, die noch nie da war.

«Wie heißt die Agentur? Kenn ich die vielleicht?»

«Kaum. Die Leute sollen sich unsere Werbung merken, nicht unseren Namen. Wir heißen Jürgens und Partner.»

«Und du bist Partner?»

«Ich bin Saskia Jürgens.»

Völlig klar, wieso ich auf die Schnelle den Namen Jürgens gewählt habe. Wegen New York. Und wegen des Liedes, das ich immer wieder gerne höre: «Ich war noch niemals in New York ...» Und das ist, wie jeder weiß, von Udo Jürgens.

Oliver schaut Saskia Jürgens so entgeistert an, dass ich mein Spielchen sofort bereue. Muss jetzt unbedingt ein wenig tiefer stapeln. Zum Schluss ist er sonst derartig eingeschüchtert, dass er Erektionsprobleme hat. Und das wollen wir ja nun auf keinen Fall.

«Und was machst du» – ich lächle charmant –, «wenn du nicht gerade auf Sylt abhängst?»

Muss mich seinem Sprachgebrauch anpassen, um eine Vertrauensbasis herzustellen, die späteren Sexualkontakt ermöglicht.

«Ach, mein Vater hat hier ein Haus. Ansonsten studiere ich Jura in Köln. Nächstes Jahr gehe ich für ein Gastsemester an die Law School in Boston.»

Er sieht stolz aus. Der Kleine. Oder will er mir damit gleich zu Beginn klar machen, dass ich nicht mit einer festen Beziehung rechnen soll, weil er sowieso bald das Land verlässt?

Dass er Jura studiert, stört mich allerdings ein bisschen. Erinnert mich an Philipp, bis heute Morgen der Jurist meines Vertrauens.

Ach, wenn der mich jetzt sehen könnte. An einem Samstagabend im Sansibar an einem der besten Tische. Ohne reserviert zu haben. Beflirtet von einem Mann, der fast zwanzig Jahre jünger als Philipp und hier mit Namen bekannt ist.

Einen Moment lang wünsche ich mir so stark, dass Philipp plötzlich hier auftaucht, dass ich fast glaube, ihn wirklich zu sehen. Wie er auf unseren Tisch zukommt. Eine Haarsträhne fällt ihm in die Stirn. Er trägt ein weißes Hemd und verwaschene Jeans. So mag ich ihn am liebsten an schönen Sommerabenden. In seiner Hand eine langstielige purpurrote Rose von der Sorte, die mindestens sieben fünfzig pro Stück kostet. Er schaut auf den erschrockenen Oliver herunter und sagt: «Netter Versuch, Kleiner. Aber jetzt geh mal ein bisschen am Strand spielen.»

Oliver springt auf, murmelt noch was von «Das ist aber eigentlich mein Tisch» und versucht, sich möglichst würdevoll zu entfernen.

«Puppe, mein Liebes» – Philipp nimmt meine Hand, und ich schließe die Augen, wie es alle Diven tun, wenn sie Unnahbarkeit ausstrahlen wollen –, «bitte hör mich an. Lass mich dir alles erklären.»

«Was wirst du als Nächstes sagen? Es ist nicht das, wonach es aussieht? Ach, Philipp, erspar doch dir und mir diese würdelose Szene.»

«Puppe, ich bitte dich, hör mir zu. Gib mir zwei Minuten. Und wenn du danach meinen Heiratsantrag ablehnst, wird es in meinem Leben kein Glück mehr für mich geben.»

Und dann erklärt er mir zwei Minuten lang das, wofür mir nun selbst in meiner reichhaltigen Phantasie leider keine Erklärung einfällt. Er kniet nieder, reicht mir die Rose und sagt unter Tränen: «Willst du meine Frau werden?»

Ich, natürlich auch unter Tränen, sage: «Ja, ich will.»

Beifall brandet auf, die Gäste im Sansibar erheben ihre Gläser, und Herbert bringt ein paar Tage später ein Messingschild an unserem Tisch an, auf dem steht: «Stammplatz von Puppe von Bülow.»

«Saskia?»

Warum kann mein Leben nicht sein wie meine Lieblingsfilme? Wo sich zum Schluss alles zum Guten wendet?

«Äh, Saskia?»

«Mmmh?»

Ach ja, habe meinen neuen Namen und den Kleinen vor mir fast vergessen.

«Entschuldige, ich war mit meinen Gedanken woanders. Du studierst in Köln? Köln ist toll. Ganz schön weit weg von Sylt. Lohnt sich das fürs Wochenende überhaupt?»

Meine Güte, wie ich diese Smalltalkerei hasse, bis man endlich zum Wesentlichen – Ex-Freundinnen, sexuelle Phantasien usw. – kommen kann.

«Das geht schon. Ich fliege ja meistens.»

«Wie, du fliegst von Köln nach Sylt?»

«Mein Vater hat ein Flugzeug, das ich öfter haben kann.»

Junge, Junge. Andere Väter leihen, wenn sie großzügig sind, den Söhnen samstagabends ihren viertürigen Golf.

«Fliegst du selbst?» Ich versuche möglichst beiläufig, fast uninteressiert zu klingen.

«Nee. Wir haben zwei Piloten, die immer stand by sind.»

Wir schweigen, und ich fürchte, dass bereits alles gesagt ist, was wir uns zu sagen haben.

«Wie alt bist du?», versuche ich einen neuen Anfang.

«Vierundzwanzig. Und du?»

Gute Güte! Fast zehn Jahre jünger als ich! Das heißt, er schläft in der Regel mit Mädchen, die unter zwanzig sind. Unter zwanzig! Das könnten ja schon fast meine Töchter sein! Die haben knackige Pos, eine samtweiche Haut und keine einzige Delle in ihren wohlgeformten Oberschenkeln. Wie nennt man Sex mit einer Frau, die Zellulitis hat? Wellenreiten. Sehr lustig.

Andererseits: Ich habe Erfahrung. Jawohl. Habe nach meiner Berechnung mit mindestens dreiundzwanzig Männern geschlafen. Und dabei hauptsächlich gelernt, was ich nicht mag. Was ich aber nach jahrelanger Erfahrung immer noch nicht beantworten kann: Wie schützt man sich vor unliebsamen Sexualpraktiken? Ja, natürlich, das ist mir auch klar, dass in jedem Ratgeber steht, man solle seine Wünsche und Grenzen frei und offen artikulieren. Aber wer tut das schon? Gerade in der Anfangszeit. Wo man den anderen nicht gleich kränken will. Auch noch bei einem so empfindlichen Thema.

«Nimm deine Zunge aus meinem Ohr, du Pottsau.»

«Hör auf, mich in den Po zu beißen, sonst kannst du nach Hause gehen.»

«Hallo. Könntest du bitte sofort aufhören, an meinem großen Zeh herumzulecken. Mir wird schlecht.»

«Wenn du mich noch einmal ‹geile Stute› nennst, mach ich dich zum Wallach.»

Nein, die wenigsten Frauen, die ich kenne, sind so ehrlich, ihren Liebhabern sagen wir innerhalb der ersten drei bis achtzehn Monate die Wahrheit zu sagen. Man denkt, der Ärger lohnt sich nicht, für die paar Mal. Und wenn dann doch ein halbes Jahr ins Land gegangen ist, dann ist es ja eigentlich auch schon egal, denn entweder man hat sich mittlerweile dran gewöhnt, oder man kommt sich blöd vor, nach monatelangem Schweigen zuzugeben, dass man monatelang geschwiegen hat. Das wäre ja auch irgendwie gemein.

Mir ist absolut klar, dass es nichts nützt, die Wahrheit über sexuelle Vorlieben für sich zu behalten. Aber ich bringe es irgendwie nicht über mich. Um ganz genau zu sein, schaffe ich es oft nicht mal, rechtzeitig Bescheid zu sagen, wenn meine sexuelle Vorliebe im Moment wäre, keinen Sex zu haben. Ich hätte in meinem Leben – Schwestern, gebt es zu, dass ihr Ähnliches durchgemacht habt – wesentlich weniger, dafür aber wesentlich besseren Sex gehabt, wenn ich meinem natürlichen Instinkt gefolgt wäre statt meiner unnatürlichen Freundlichkeit.

Die Schlafsack-Fummeleien mit Jörg zum Beispiel. Ich war siebzehn, und wir machten Inselhopping in Griechenland. Später dann Dirk, der transpirierende Elektrotechniker, und Markus, der supersanfte Landschaftsarchitekt. Alles Männer, die sich bereits weit vor dem eigentlichen Akt disqualifiziert hatten. Durch dämliche Äußerungen wie: «Beklagt hat sich bei mir noch keine.» Durch schlechte Angewohnheiten, wie öffentliches Abschleimen nach Fußballer-Art: Zeigefinger an die Nasenwand und dann kräftig pusten.

Augen zu und durch, habe ich manches Mal gedacht, wenn ich

aus der Nummer einfach nicht mehr rauskam. Man will ja nicht unhöflich sein. Und ich schon gar nicht. Letztendlich sind die Frauen schuld, dass es so viele schlechte Liebhaber gibt. Weil wir uns zu selten trauen, zu sagen, was die Kerls falsch machen. Ich jedenfalls beneide etliche meiner Nachfolgerinnen nicht, und ich möchte mich an dieser Stelle entschuldigen, dass ich nicht bessere Vorarbeit geleistet habe.

Aber wenn einer erst vierundzwanzig ist, kann er noch nicht viel Erfahrung haben und folglich auch nicht viel falsch machen. Hoffe ich wenigstens. Außerdem will ich mich ja nicht amüsieren, sondern ablenken. Habe gelesen, der Trend geht zum jungen Liebhaber. Nun denn, Angriff ist die beste Verteidigung:

«Sag mal Oliver, stimmt es eigentlich, dass bei Männern ab einundzwanzig die Potenz nachlässt?»

Oliver schaut mich erfreut an.

«Lass uns den Rest der Flasche am Strand trinken. Da kriegst du dann eine Antwort.»

«Okay.» Ich lächle absichtlich nicht. In meinem neuen Leben muss man sich meiner Gunst erst würdig erweisen.

Oliver gibt Herbert ein Zeichen, und der winkt freundlich zurück. Was wahrscheinlich so viel heißt wie: «Klar, Kleiner, kommt alles auf die Rechung von Papa.»

Oliver hakt mich unter. Wir stapfen über den immer noch warmen Strand. Marple knurrt das Meer an.

Oliver sagt: «Wenn du willst, baue ich dir ein Schloss aus Sand.»

Ich lache, als wäre ich siebzehn und glücklich. Und singe leise:

Nimm meine Hand, ich bau dir ein Schloss
aus Sand, irgendwie, irgendwo, irgendwann.

«Hey, echt abgefahrenes Lied!»

Echt abgefahren? Mir gefriert das Blut in den Adern.

«Ist von Icefeld, oder?»

Grundgütiger, eine Kluft tut sich auf. Die Kluft zwischen den Generationen. Du merkst, dass du wirklich alt bist, wenn du mit einem Mann über eine Melodie ins Schwärmen gerätst, und du denkst ans Original – Nena 1987 – und er ans Remake aus dem Jahr 2000.

Breiten wir den Mantel des Schweigens darüber.

23:15

Das darf doch wohl nicht wahr sein. Warum? Warum zum Teufel müssen solche Sachen immer mir passieren?

Ich fühle mich an all die unangenehmen Momente erinnert, wo ich vergeblich auf sich gnädig auftuende Erdspalten hoffte.

Wie viele Menschen habe ich unabsichtlich beleidigt?

Wie viele wertvolle Sachen aus Versehen kaputtgemacht?

Um wie viele Anekdoten habe ich andere Leute bereichert?

Wie viele Scherze werden noch heute gerne in heiterer Runde auf meine Kosten erzählt?

Wie konnte ich auch nur eine Sekunde lang annehmen, meine Trennung von Philipp würde problemlos verlaufen? Nichts in meinem Leben ist je problemlos verlaufen.

Schon meine Einschulung nicht. Da habe ich, wie alle anderen auch, aus dem Klassenzimmerfenster auf den Schulhof gespuckt. Bloß, dass meine Spucke – ich muss dazu sagen, ich war erkältet, was mein Sputum besonders ergiebig und zäh machte – direkt auf der Stirn des Direktors landete, der gerade nach oben schaute.

Als ich mir zum ersten Mal in meinem Leben die Haare selbst färben wollte, musste ich vier Wochen lang ein Kopftuch tragen, weil die Poly-Color-Sonnenreflexe bei mir aussahen wie alter Gorgonzola. Ein grünlicher Glanz lag über meiner Frisur wie ein verschimmelter Heiligenschein.

Bei meinem ersten Zungenkuss musste ich – war es der süße Sekt oder das Bockbier? – aufstoßen.

Bei meiner ersten Mathearbeit fiel ich vom Stuhl, als ich mich unauffällig zu meinem wesentlich begabteren Hintermann zurücklehnen wollte.

Bei meiner Konfirmation verschluckte ich mich derartig an der Oblate, dass meine Mutter mich aus der Kirche führen und ich mir den Segen später nochmal extra abholen musste.

Bei meinem ersten Open-Air-Festival warf eine Horde Betrunkener ein Dixie-Klo um, auf dem bedauerlicherweise gerade ich saß.

Beim ersten Sex fragte mich mein Bettgefährte, ob ich dabei immer die Strümpfe anlassen würde. Von da an rasierte ich mir die Beine.

Ein Wunder, dass ich es überhaupt so weit gebracht habe. In fünfundvierzig Minuten werde ich zweiunddreißig Jahre alt sein. Sollte ich mich bis dahin nicht vor lauter Scham in Luft auflösen. Mein Leben stellt sich gerade wie folgt dar:

Amelie Puppe Sturm hockt mit verschmiertem Lippenstift und ihren hochhackigen Sandalen in der Hand vor einer fremden Haustür. Sie ist draußen, ihr Büstenhalter und ihr Bulgari-Ring sind drinnen: Die Tür ist zu, an Klingeln nicht zu denken. Neben ihr sitzt ein Hund, der sehr bekümmert aussieht und auch nicht genau weiß, wie er sich jetzt verhalten soll. Schritte sind zu hören. Puppe hebt erschrocken den Kopf. Zu spät, sich zu verstecken.

«Guten Abend Frau Sturm. Was für eine Überraschung. Kann ich ihnen vielleicht behilflich sein?»

Oliver und ich hatten eine Weile am Strand gelegen, wie man das eben so macht, wenn man Sex haben will, aber der guten Sitten wegen vorher noch etwas Zeit verstreichen lassen muss. Wir guckten – auch das ist üblich in solchen Situationen – den Sternenhimmel an, ich ließ mir erklären, wo die Achse des Großen Wagens ist und wie man von da aus ganz einfach den Nordstern findet.

Ehrlich gesagt, habe ich mir schon so oft von irgendwelchen Typen erklären lassen, wo der Große Wagen ist, dass ich ihn mit verbundenen Augen finden würde. Aber das Firmament scheint eine männliche Domäne zu sein, ähnlich wie Werkzeugkisten, Motoren und Carrera-Bahnen. Und man tut gut daran, wenn man die klassische Rollenverteilung, was diese Heiligtümer angeht, akzeptiert und den Herren das Gefühl gibt, man wäre ohne ihre Expertisen völlig verloren.

Es ist meiner Erfahrung nach wichtig, Männern – besonders wenn man mit ihnen schlafen möchte – das Gefühl zu geben, sie seien männlich. Früher erlegten die Männchen Säbelzahntiger, heute erklären sie den Weibchen, wo der Große Wagen parkt. So ändern sich die Zeiten, aber gewisse Dinge ändern sich eben nie.

Es war sehr romantisch. Ein Meer aus Sternen über mir, dazu sanftes Wellenrauschen. Ab und zu fuhr ein Schiff am Horizont vorbei, und ich stellte mir vor, es sei der Meeresgott Poseidon, der mit einer Kerze dort hinten auf und ab geht.

Mein Gott! Ausgerechnet in diesem Moment riss mich Oliver an sich und rammte mir entschlossen seine Zunge ins Ohr.

Das erinnerte mich unschön an meinen Erste-Hilfe-Kurs. Als meine Übungspartnerin mich in die stabile Seitenlage bugsieren sollte, zerrte sie an meiner Gürtelschlaufe wie ein Kampfhund an der Leine. Zum Schluss fragte sie dann auch noch: «Gesetzt den Fall, es gehen bei einem Unfall Gliedmaßen verloren – wie kriege ich jemanden in die stabile Seitenlage, der keine Arme mehr hat?»

Oliver, das war klar, wollte mir zeigen, dass er ein zupackender, testosterongeladener Kerl ist. Er stöhnte schon beim ersten Kuss lauter als ich, wenn ich einen Hexenschuss habe und mir die Schuhe zubinden will. Es war ziemlich befremdlich, aber so schnell wollte ich mich nicht entmutigen lassen.

«Willst du mich umbringen oder verführen?», fragte ich und streichelte ihm ein wenig die Schulter.

Oliver schnaufte, als würde er ohne Atemgerät die letzten Meter zum Gipfel des Mount Everest zurücklegen. Das war mir irgendwie unheimlich, denn ich hatte ja noch gar nicht richtig angefangen. Beklemmend, die Vorstellung, wie er sich geräuschmäßig gebärden würde, wenn ich mit meinem Programm für Fortgeschrittene begänne.

Ich habe nichts gegen Männer, die sich während des Aktes akustisch bemerkbar machen. Aber wie bei so vielen Dingen im Leben, zählt auch hier das rechte Maß. Der tonlose Mann im Bett ist peinlich, weil er entweder verklemmt ist oder allzu cool sein will. Der Mann, der lautstark den Porno-Star gibt, ist peinlich, weil er eine Show abziehen will, die Frauen besser beherrschen. Männer, die sich gehen lassen, sind einfach meist kein schöner Anblick.

Oliver biss mir neckisch in die Schulter – was ich nun überhaupt nicht leiden kann. Beißen und Kneifen stehen ganz weit oben auf meiner Tabu-Liste. Kurz hinter Kichern beim Höhepunkt.

«Wie wär's, wenn wir zu mir gehen?», sagte Oliver mit verschwörerischer Miene.

«Ist denn dein Papa nicht zu Hause?»

«Glaube ich nicht. Und wenn schon. Die Zeiten, in denen er unangemeldet in meinem Zimmer auftauchte, sind vorbei. Bei dir muss ich höchstens aufpassen, dass er mir keine Konkurrenz macht.»

Da es sich bei Olivers Vater wahrscheinlich um einen Greis handelte, empfand ich das nicht als Kompliment.

«Gut, gehen wir», sagte ich trotzdem.

Wir näherten uns der Reetdachvilla von der Strandseite. Drinnen brannte nirgends Licht.

«Keiner zu Hause?», fragte ich.

«Kann sein, dass mein Vater schon schläft. Vielleicht kommt er auch erst morgen.»

Ich kam mir höllisch jugendlich vor, weil die Zeiten, in denen ich durch Häuser schlich, um Eltern nicht zu wecken, verdammt lange her sind. Ich musste kichern wie eine Vierzehnjährige.

Wir gingen eine Treppe hoch, passierten einen langen Flur und standen schließlich in einem Raum, den Oliver so vorstellte: «Das hier ist mein Reich. Fühl dich wie zu Hause.»

Ich wusste sofort, dass ich hier niemals einen Orgasmus haben würde.

Rechts vom Bett stand eine deckenhohe Pflanze mit dicken, fleischigen Blättern. Von solchen Kreaturen fühle ich mich tendenziell bedroht. Links vom Bett ragte ein CD-Ständer in die Höhe. Jeder vernünftige Mensch weiß, dass es keine ansehnlichen CD-Ständer gibt. Dieser hier war eine Nachbildung des Empire-State-Buildings. Ich glaube, ich brauche nicht mehr zu sagen.

Trotzdem: Ich war immer noch bereit, meinem kleinen Prinzen eine Chance zu geben, die eklige Einrichtung als Jugendsünde abzutun, und mein Experiment «Sex statt Kummer» noch nicht für beendet zu erklären.

Lasziv ließ ich meine Jacke zu Boden gleiten, schlüpfte aus meinen Schuhen und ließ mich auf dem Bett nieder, als handele es sich um einen mit Seide bezogenen Divan – und nicht um apfelgrüne Frotté-Bettwäsche auf einem schrumpeligen Futon.

Ich warf einen frivolen Blick auf Oliver, der sich gerade bückte, um meine Schuhe nebeneinander zu stellen.

«Du hast es wohl gern ordentlich?», fragte ich mild spöttisch. Wenn einer Schuhe bundeswehrmäßig ausrichtet, dann benutzt er wahrscheinlich auch für jeden Zahnzwischenraum ein extra Stück Zahnseide.

«Ums Bett herum schon», sagte Oliver, «im Bett sieht die Sache allerdings ganz anders aus.» Sprach's, hängte Hemd und Hose über die Stuhllehne und legte seine wirklich schöne IWC-Uhr auf den Nachttisch. Ich band sie mir ums Handgelenk und fühlte mich gleich viel mehr wert.

Ups! Oliver warf sich mit einem gut gezielten Hechtsprung auf mich. Schnaubend und in Windeseile, als hätte er in fünf Minuten die nächste Verabredung, riss er mir Kleid und BH vom Körper, um sich voller Begeisterung in meine linke Brust zu verbeißen. Ich wurde allmählich ungehalten.

Als Oliver nach einem fragenden Blick auf meine Oberschenkel klar wurde, dass er es mit einer ziemlich reifen Frau zu tun hat, legte er bedenklicherweise noch einen Zahn zu. Irgendein unerfahrener Trottel muss ihm gesagt haben, altes Fleisch sei hart im Nehmen.

«Oliver?» Ich versuchte mir Gehör zu verschaffen.

«Oliver!» Er schien mich ganz vergessen zu haben, so sehr war er in sein Projekt vertieft: «Wie befriedige ich eine ältere Dame und grunze dabei ohne Unterlass wie ein tollwütiger Eber?»

Nun, das sind die Momente im Leben einer Frau, die sie nachher gerne verdrängt. Ich war so maßlos enttäuscht. Mein Experiment – total gescheitert. Während Oliver – von meiner ausbleibenden Ekstase vollkommen unbeeindruckt – seine Zunge in meinem Bauchnabel kreisen ließ, entschied ich mich, spontan umzudisponieren.

Der Sex mit diesem schwer atmenden Frischling würde mich nicht von meinem Philipp-Kummer ablenken, sondern alles nur noch schlimmer machen. Die Höflichkeit, die Sache durchzustehen, bloß weil man nun schon mal angefangen hat, war hier völlig fehl am Platze. Ja, ich würde hier und jetzt zum ersten Mal einem schon im Anflug befindlichen Beischläfer die Landeerlaubnis entziehen. Bin mir nicht ganz sicher, wie ich jetzt auf diesen der Luftfahrt entlehnten Vergleich komme. Vielleicht, weil Olivers Vater ein eigenes Flugzeug besitzt.

Während der Junge mir Worte ins Ohr raunte, die er mit seinen süßen vierundzwanzig wahrscheinlich für obszön hielt, bereitete ich mich darauf vor, ihm die Wahrheit zu sagen: «Tut mir Leid, Schätzchen, aber mit Laien möchte ich nichts zu tun haben.»

Oder: «Macht's dir was aus, wenn ich dabei fernsehe?»

Oder, schlicht und ehrlich: «Mir reicht's.»

Jetzt machte sich Oliver – ich war so in Gedanken, dass ich es fast nicht bemerkte – an meiner Unterhose zu schaffen. Eigenartig, dass mir in diesem Moment siedend heiß einfiel, dass in meinem dunkelroten Satin-String hinten ein zweipfenniggroßes Loch klaffte. Hatte es beim Versuch hineingeschnitten, das Wäschezeichen rauszutrennen. Etwa die Hälfte meiner Unterhosen hat aus diesem Grund Löcher. Noch ein Beweis dafür, dass ich aus einmal begangenen Fehlern nicht klug werde. Philipp allerdings fand meine durchlöcherte Wäsche rührend.

«Wenn ich dich ohne Worte beschreiben sollte», sagte er mal, «würde ich einfach all deine Unterhosen in eine Reihe legen.»

Ich war sehr gerührt, dass mein Freund mich so sehr liebt, dass er sogar meinen Schwächen etwas Verliebenswertes abgewinnen konnte.

Oliver kennt meine Schwächen nicht mal. Der Junge ist mir völlig fremd. Und ich muss ihm noch viel fremder sein, weil er mich für jemanden hält, der ich gar nicht bin. Er ist im Begriff, den Geschlechtsakt mit Saskia Jürgens zu vollziehen, der männermordenden Werbe-Schlampe, die kleine Jungs am Strand und anschließend im Haus ihrer reichen Pappis vernascht.

Aber hier gibt es gar keine Saskia Jürgens!

He! Hier liegt, platt gedrückt und voll gesabbert, Amelie Puppe Sturm.

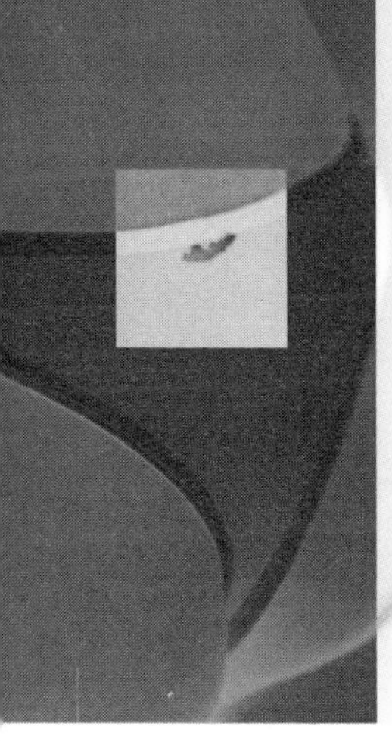

Amelie Puppe Sturm, die sich für das Loch in ihrer Unterhose schämt.

Amelie Puppe Sturm, die mit ihren Gedanken ganz woanders ist. Die an ihr Bülowbärchen denkt. An Liebe machen und daran, dass sie ihm nachher oft eine dieser feinen babyhaarweichen Haarsträhnen aus dem Gesicht streicht und sagt: «Mit dir ist es immer noch so aufregend, als würde ich dich mit jemandem betrügen.»

Er verstand ihre Art, Komplimente zu machen. Schnurrte wie der Kater in der Whiskas-Werbung, löschte das Licht und legte beim Einschlafen seine große Nase an ihren Hals.

He! Hier liegt Amelie Puppe Sturm!

Aber nicht mehr lange!

Oliver musste durch das für mich völlig untypische Äußern einer unangenehmen Wahrheit gestoppt werden. Und zwar schnell.

Weiblich-instinktiv entschied ich mich dann allerdings doch lieber für eine subtile Form der Halbwahrheit. Immerhin ein fünfzigprozentiger Fortschritt.

«Warte!»

Oliver hob unwillig den Kopf, als hätte sich plötzlich ein völlig Unbeteiligter in das Geschehen eingemischt.

«Mmmmh.»

«Hast du Lust auf ein Spiel?»

«Sag an, Schätzchen. Ich bin dabei.»

Oliver versuchte zu gucken wie einer, der im Bett schon alles gesehen hat – was ihn jedoch so aussehen ließ, als hätte er seine Brille vergessen.

«Komm her, ich zeig dir was Schönes. Leg dich auf den Rücken, schließ die Augen und beweg dich nicht.»

Artig folgte Oliver meinen Befehlen, fest damit rechnend, von einem erfahrenen Vollweib in den Olymp der praktischen Sexualwissenschaften eingeführt zu werden.

Ich glitt aus dem Bett und öffnete leise den Kleiderschrank. Gott sei Dank, braver Junge: viele Krawatten. Ich nahm eine heraus und verband ihm die Augen. Kurz überlegte ich, ob ich ihm auch Hände und Füße fesseln sollte, aber das schien mir dann doch übertrieben.

«Und jetzt», sagte ich dominahaft, «entspann dich. Ich bin gleich wieder bei dir.»

Oliver antwortete mit einem völlig überdimensionierten Schnauben. Er zitterte vor Aufregung am ganzen Körper, und irgendwie tat er mir in diesem Moment Leid. Ich gab ihm einen Kuss auf die Stirn, so wie Mütter es tun, nachdem sie ihr erkältetes Kleinkind zur Nachtruhe mit Pinimenthol eingerieben haben.

Ich zog mir leise mein Kleid an, nahm Schuhe und BH und gab Marple das Zeichen zum Aufbruch.

Auf Zehenspitzen schlich ich zur Haustür, trat hinaus und zog die Tür leise hinter mir zu.

Verdammter, verfluchter Mist! Das darf doch einfach nicht wahr sein! Ich starrte auf Olivers superteure IWC-Uhr, die ich immer noch am Handgelenk trug.

Der Arme hatte wirklich schon genug Grund, über mich verärgert zu sein. Ich glaube, kein Mann verdient es, mit einer Erektion und einer Hermes-Krawatte um die Augen zurückgelassen zu werden. Wenn Oliver außer seiner Würde auch noch seine Uhr verlöre, würde er diese Nacht nicht ohne schwere Neurose überstehen. Und das hatte er nicht verdient. Der Junge hatte ja nichts falsch gemacht. Nur leider auch nichts richtig.

Ich fand, dass ich angesichts meiner angespannten Nerven ziemlich überlegt handelte. Ich wickelte die Uhr in meinen BH – ein himmelblauer Push-up mit Spitze, übrigens nicht mal annähe-rungsweise passend zu meiner dunkelroten Unterhose, die ich glücklicherweise anbehalten hatte – und versuchte, das kleine Paket durch den Briefschlitz der Haustür zu stopften. Es handelte sich um eines dieser tückischen Exemplare, deren Metallklappe mit enormer Kraft zuschnappt. Würde gerne mal für Sat1 einen Horror-Schocker über menschenfressende Briefschlitze machen. Absolute Marktlücke.

Auch dieser Briefschlitz schnappte wütend zu und erwischte meine Finger. Als ich sie unter Schmerzen rauszog, hörte ich ein leises Klirren auf der anderen Seite der Tür. Und dann rollte dort etwas über den Boden.

Ja, dort rollte etwas über den Boden.

Ich betrachtete meine schmerzende Hand – und mir wurde schlagartig klar, was da rollte.

Ich lehnte mich an die Tür und schloss die Augen.

Wessen Sünden büßte ich hier eigentlich ab? Ich hatte in meinem Leben wahrlich nicht genug angestellt, um auf solche Weise vom Schicksal bestraft zu werden. He da, ihr Götter der Vergeltung und der schlechten Scherze! Ich brauche keinen Gesprächsstoff, keine grotesken Erlebnisse, keine absurden Verwicklungen mehr. Ich habe genug zu erzählen. Danke, bei mir reichen die Pointen für drei Leben!

Ich hatte – Mannomann, das muss man sich mal vorstellen – meinen Bulgari-Ring verloren, als ich meine Hand aus dem Briefschlitz zog. Das verfluchte Ding hatte meinen Diamanten gefressen! Hatte sich mein wertvollstes Schmuckstück geschnappt! Den Ring, den mir der unselige Philipp vor drei Monaten feierlich überreicht hatte, eingewickelt in rosa Seidenpapier. Ein breiter Goldring mit einem achteckigen Diamanten und der herzerweichenden Inschrift «Puppe & Püppchen».

Jetzt lag das gute Stück auf dem kühlen Marmorboden der Eingangshalle einer Sylter Villa, in der immer noch ein Junge mit verbundenen Augen und schwindender Erektion wartete und sich wahrscheinlich langsam fragte, wo zum Teufel ich wohl bliebe.

Puppe & Püppchen. Wir hatten kein Kind geplant. Noch nicht. Philipp war dazu viel zu vernünftig.

Und ich war dafür viel zu unvernünftig. Beides Eigenschaften, die dem Erwerb von Nachwuchs im Wege stehen.

Philipp sagte immer: «Du hast dein Café, ich meine Kanzlei. Wer von uns beiden wird seinen Beruf aufgeben zugunsten eines Kindes?»

«Ach, Philipp, ich weiß. Aber wenn es passieren würde, dann würde sich auch eine Lösung finden.»

«Natürlich, es findet sich immer eine Lösung. Aber wir sollten erst mal zusammenziehen, bevor wir über ein Kind nachdenken.»

«Philipp?»

«Ja, bitte?»

«Du hast vollkommen Recht. Also halt die Klappe.»

«Hm?»

«Ich will doch gar nicht über ein Kind nachdenken. Ich will bloß ein bisschen träumen. Träume wachen nicht fünfmal in der Nacht auf. Haben keine Blähungen. Weinen nicht, wenn die ersten Zähne kommen. Und man muss sie auch nicht bei der Urlaubsplanung berücksichtigen. Aber ich stelle mir dich gerne als den Vater meiner Kinder vor.»

Er kraulte mir den Nacken.

«Ich glaube, du würdest eine tolle Mutter sein.»

«Wirklich?»

«Ja. Auf jeden Fall würdest du die Kinder nicht unnötig verwöhnen. Dazu bist du viel zu sehr mit dir selbst beschäftigt.»

«Spitzenwitz, du blöder Sack.»

«Das war nicht als Witz gemeint.»

So oder ähnlich verliefen die Gespräche, was unsere Zukunft mit Kindern anging. Wir waren beide nicht richtig dagegen, aber auch nicht richtig dafür.

Ich hatte Frauen erlebt, die nach der Geburt ihres ersten Kindes zum gesellschaftlich nicht mehr tragbaren Muttertier mutiert waren. Die ihren kinderlosen Freundinnen Gespräche über Brechdurchfall, ökologisch unbedenkliches Spielzeug und schlecht verheilende Dammschnitte aufnötigten. Die aufhörten, sich zu schminken, sich die Beine zu rasieren oder regelmäßig zum Friseur zu gehen, weil sie ja keine Frauen mehr waren, sondern Mütter. Die bei Telefonaten unvermittelt so laut «Nanananna! Gibbesmadermama! Gibbesjeezher!» schrien, dass einem fast das Trommelfell platzte.

Aber es gab auch andere Beispiele. Meine bereits erwähnte Jugendfreundin Kati zum Beispiel, die sich neben der Kindererziehung noch Zeit dafür nahm, ihren Mann zu betrügen. Vorbildlich.

Oder Patricia, unsere Aushilfe im Himmelreich. Die arbeitet nur bei uns, um sich für ihre Zwillinge, die sie scherzhaft Elmex und Aronal nennt, ein Au-pair-Mädchen leisten zu können. Nun gut, dass ihr Mann sie just wegen dieses Au-pair-Mädchens verlassen hat, war schlicht Pech gewesen. Da lassen sich sicherlich ermutigendere Beispiele finden. Ich kann nur jeder Frau raten: Nimm ein Au-pair-Mädchen. Aber keins aus Skandinavien. Die sind blond und willig und gefährden Partnerschaften. Ich persönlich würde mich um eine pubertierende Engländerin bemühen. In Großbritannien sehen die Mädels aus wie Sarah Ferguson oder die Queen. Und wegen solcher Frauen wird man in der Regel nicht sitzen gelassen.

Als ich Philipp Mitte April sagte, dass ich schwanger sei, war er zunächst wie vom Donner gerührt. Er setzte sich an den Küchentisch und sagte lange nichts. Ich war etwas enttäuscht, denn ich hatte mir die Reaktion auf meine Schwangerschaft von frühester Kindheit an anders vorgestellt. Seit ich «Sissi – Mädchenjahre einer Kaiserin» gesehen hatte, trage ich eine feste Vorstellung dieses Moments im Herzen:

Wie die junge Kaiserin im langen, raschelnden Morgenmantel in das Arbeitszimmer seiner Majestät eilt und in eine wichtige Besprechung hineinplatzt:

«Du, Franz, ich muss dich dringend sprechen!»

Die Minister verabschieden sich pikiert. Und Franz Joseph,

der Kaiser von Österreich, sagt: «Ja Sissi, was ist denn geschehen?»

Sie stürmt auf ihn zu, schlingt ihre Arme um seinen Hals und ruft: «Franzl, wir bekommen ein Kiiind!»

Er hebt sie in die Luft, küsst sie und flüstert: «Was? Ja, Sissi! Ach, ich bin ja so glücklich, so unsagbar glücklich!»

Nun, Philipp hatte diesen Film ganz offensichtlich nicht gesehen oder ihn nicht als beispielhaft empfunden. Er sagte:

«Was ist mit deinem Diaphragma?»

«Hat anscheinend versagt.»

Er schaute mich an und knetete sein Gesicht, als sei es Pizzateig.

«Du freust dich nicht», sagte ich beleidigt.

«Ich bin mir noch nicht sicher. Freust du dich denn?»

Da war ich mir, ehrlich gesagt, auch nicht sicher, aber es schien mir klüger, meine Zweifel in diesem Moment für mich zu behalten und eine diplomatische Antwort zu wählen:

«Ich kann mich nicht unabhängig von dir freuen. Wenn du das Kind nicht willst, dann wird es kein Kind geben.»

Zugegeben, eine dramatische Äußerung, aber irgendwie der Situation angemessen. Wenn meine erste Schwangerschaft schon nicht sissihaft beginnen würde, so doch wenigstens filmreif. Ich hasse nichts mehr als bewegende, schicksalhafte Momente im eigenen Leben, bei denen man sich nachher nicht mehr erinnern kann, was man gesagt hat. Natürlich hatte ich nicht eine einzige Sekunde daran gedacht, das Kind nicht zu behalten. Schwanger über dreißig, von einem geliebten und noch dazu gut verdienenden Mann in sicherer beruflicher Stellung. Nein, dieses Kind –

fast spürte ich es schon sanft gegen meine Bauchdecke treten – würde das Licht der Welt erblicken. Und ich würde es auch, einer überflüssigen, aber immerhin alten von-Bülow-Tradition entsprechend, auf einen P-Namen taufen. Pauline von Bülow? Peter? Pamela? Patrick? Pustekuchen? Hihihi.

«Du würdest unser Kind abtreiben?» Philipp schaute mich entgeistert an.

«Nein», sagte ich. Und fing an zu weinen.

Und dann war es doch noch wie im Film. Philipp nahm mich in die Arme, trocknete meine Tränen, streichelte meinen Bauch und fragte, ob ich nicht lieber die Füße hochlegen wolle.

Schon in diesem Moment bedauerte ich, dass eine Schwangerschaft nur neun Monate dauert. Ein herrlicher Zustand. Du kannst essen, was du willst, weil deine Figur ja sowieso ruiniert ist. Jede Launenhaftigkeit wird dir verziehen, jeder Wunsch erfüllt. Du hast Anspruch auf Mitleid, ständige Aufmerksamkeit, stundenlange Fuß- und Rückenmassagen und kannst alle Disney-Filme auf Video sehen und dabei heulen, ohne dass dich jemand schief anschaut. Es sind ja die Hormone.

Zwei Abende später, es war ein Dienstag, und Philipp kam extra abends nach Hamburg gefahren, schenkte er mir den Ring.

«Ich freue mich über alles», sagte er, und gab mir das Päckchen.

Puppe & Püppchen

Ich schaute wahnsinnig gerührt auf meinen Bulgari-Kiesel. Passte perfekt, stand mir perfekt. Alles hätte perfekt sein können, wenn ich … ja wenn ich mich bei diesem Schwangerschaftstest nicht mit den Farben vertan hätte.

Aber jetzt mal ganz ehrlich: Wie soll man diese komplizierten

Erläuterungen im Zustand höchster Erregung denn richtig verstehen? Da hilft auch kein abgebrochenes Universitätsstudium. Ich hab es ja sowieso nicht so mit Gebrauchsanweisungen. Meist werfe ich nur einen flüchtigen Blick drauf und verlasse mich dann auf meine Intuition – die mich allerdings bei der Benutzung von Rechtschreibung, Männerpsychen und neuesten technischen Errungenschaften wie Wap-Handys, DVD-Playern und ISDN-Anlagen völlig im Stich lässt.

Was ist eigentlich schwerer zu bedienen: ein Mann oder ein CD-Brenner? Ich weiß es nicht. Ich komme mit beiden nur stümperhaft zurecht, und es reicht mit Ach und Krach für die Standardfunktionen.

Ich versuchte, Philipp so schonend wie möglich beizubringen, dass er nun doch nicht Vater werden würde.

«Der Ring ist wirklich wunderschön», fing ich an, «aber ich kann ihn unmöglich annehmen.»

«Wieso das denn nicht? Es ist doch sonst nicht deine Art, Geschenke abzulehnen.»

«Es ist bloß so ... weißt du Bülowbärchen ... die Lage ... also sozusagen die Umstände haben sich verändert.»

«Jetzt hör mir auf mit Bülowbärchen. Ich verstehe kein Wort. Kannst du bitte Klartext mit mir reden? Was für Umstände haben sich verändert? Ist das Kind etwa nicht von mir?»

Er richtete sich drohend auf, sah mich mit halb strengem, halb entsetztem Blick an und nagte an seiner Unterlippe – was er immer tut, wenn er nervös ist oder angespannt.

Ich war extrem gekränkt und mindestens genauso extrem geschmeichelt, dass er so was für möglich hielt. Und gleichzeitig sehr guter Hoffnung, denn wenn einer Schlimmeres vermutet, als man zu beichten hat, dann kann er nach dem Geständnis ja eigentlich nur erleichtert sein.

«Wie kannst du nur so etwas vermuten? Natürlich ist das Kind von dir. Das heißt, um genau zu sein: Das Kind, das ich bekommen würde, wenn ich tatsächlich schwanger wäre, wäre selbstverständlich von dir.»

Vielleicht hatte ich mich etwas kompliziert ausgedrückt. Philipp schwieg. Ich ließ meine Worte einige Sekunden lang wirken und fasste das Gesagte dann nochmal zusammen.

«Philipp, ich bin nicht schwanger. Ich habe mich bei dem blöden Test vertan. Aber die Gebrauchsanweisung war auch wirklich sehr missverständlich formuliert.»

Philipp atmete tief aus und schaute zur Decke.

«Bülowbärchen, bitte, es tut mir Leid.»

Ich zog den Ring vom Finger und schob ihn langsam über den Tisch. Er schaute erst den Ring an, dann mich – und brach in schallendes Gelächter aus.

«Philipp?»

Er lachte immer noch, als er schließlich aufstand, Champagner aus dem Kühlschrank holte, den Korken knallen ließ und zwei Gläser füllte. «Püppchen mein Liebes, das glaubt mir wieder kein Mensch. Lass uns anstoßen auf die chaotischste und liebenswerteste Frau, die je in meinem Leben herumgetrampelt ist.»

Mensch, war ich froh. Das war ja nochmal gut gegangen. Ich nahm einen extra großen Schluck Champagner, denn natürlich hatte ich während meiner Schwangerschaft völlig auf Alkohol verzichtet.

«Und den hier» – Philipp griff nach dem Ring und steckte ihn mir wieder an den Finger – «behalte bitte. Nimm ihn als Versprechen für die Zukunft.»

«Was für ein Versprechen?»

«Dass wir den nächsten Schwangerschaftstest gemeinsam machen. Ich kümmere mich um den schriftlichen, du um den praktischen Teil.»

Ich schwieg ergriffen. Schweigen ist ja manches Mal wirkungsvoller als Reden. Eine Erkenntnis, die mir nur selten in die Tat umzusetzen gelingt. Meist schweige ich nicht mal dann, wenn ich nichts zu sagen habe. Aber diesmal fehlten mir wirklich die Worte.

«Puppe Sturm, ich liebe dich sehr.»

«Philipp von Bülow, ich dich noch viel mehr.»

Und was sich reimt, ist immer gut.

Den Ring habe ich seither jeden Tag getragen. Er hat mich immer glücklich gemacht und dankbar und mich mit Vorfreude erfüllt. So hat selbst ein vermasselter Schwangerschaftstest sein Gutes. «Ein Versprechen für die Zukunft ...»

Zukunft. Was für ein schönes Wort – wenn man sie teilen kann. Mit Philipp habe ich mich immer auf das gefreut, was vor mir lag. Auf morgen und auf übermorgen. Und auf alle Zeit.

So naiv war ich. Und wäre es wohl immer wieder.

23:15

Ich kann diesen Ring unmöglich seinem Schicksal überlassen. Zwar hatte ich überlegt, ihn um Mitternacht ins Meer zu schmeißen als große, reinigende Geste zum Beginn meines neuen

Lebensjahres. Aber das hier ist ja jetzt überhaupt nicht vergleichbar. Erinnerungsstücke müssen mit glühendem Herzen vernichtet werden und dürfen nicht wegen eines popeligen Briefschlitzes verloren gehen – noch dazu auf der Flucht vor einem mittlerweile sicher sehr verstimmten Jurastudenten, eingelegt in apfelgrüne Frotté-Bettwäsche.

Was soll ich tun?

Kann nicht klingeln.

Kann nicht ohne den Ring gehen.

Ich sinke verzweifelt auf die Treppe nieder.

WAS SOLL ICH TUN?

Marple schaut mich betroffen an. Sie scheint mit der Situation auch nicht gut zurechtzukommen. Es kann nicht mehr lange dauern, und Oliver wird sich auf die Suche nach mir machen. Mich womöglich hier auf der Treppe sitzend finden.

Nein, ich habe in meinem Leben eine Menge entwürdigender Umstände erlebt. Ich bin wirklich einiges gewohnt, aber das, nein, das darf nicht passieren. Nicht mir, nicht heute. Nicht an meinem Geburtstag, nicht an meinem Trennungstag, nicht an dem Tag, der auch ohne das hier als der schrecklichste Tag im Leben der Amelie Puppe Sturm in die Geschichte eingehen wird.

Ich höre Schritte. Jemand kommt von der Straße auf die Haustür zu. Vor Schreck kann ich mich nicht bewegen, und selbst wenn ich es könnte, hätte ich keine Zeit mehr, mich zu verstecken.

Ein Schatten biegt um die Ecke. Ein Mann, mittelgroß, breit. Kommt näher. Ich kann sein Gesicht nicht sehen, weil mich die Eingangsbeleuchtung blendet.

Ein Einbrecher? Der Nachtwächter? Soll ich um Hilfe rufen?

Bei Oliver Sturm klingeln? Gute Güte, was für ein blödes Wortspiel.

Oder soll ich freundlich «Guten Abend» sagen und so tun, als gäbe es für mich nichts Natürlicheres auf der Welt, als um diese Zeit vor dieser Tür zu sitzen? Ja, das wird das Beste sein. Man muss so tun, als gehöre man dazu, dann gehört man auch dazu. Alte Weisheit meiner Freundin Kati, die so an jedem Türsteher vorbeikommt. Ich hingegen sehe sogar mit Einladung so aus, als gehörte ich nicht dazu.

Aber jetzt, wo es um das letzte Quäntchen meiner Würde geht, bin ich bereit, alles zu geben. Und während ich noch versuche, total natürlich auszusehen, höre ich Worte aus dem Dunkeln, die mir den letzten Rest meines Glaubens an Gerechtigkeit auf Erden rauben:

«Guten Abend, Frau Sturm. Was für eine Überraschung. Kann ich Ihnen vielleicht behilflich sein?»

Ein Mann tritt ins Licht.

Julius Schmitt.

Pause. Stopp. Ende.

Alle Geräusche sind abgeschaltet. Das Meer rauscht nicht mehr. Der Wind raschelt nicht mehr in den Bäumen. Ich atme nicht mehr. Marple atmet nicht mehr. Nichts und niemand atmet mehr.

In der absoluten Stille wird mir alles klar. Stück für Stück fügt sich das Puzzle zusammen, bis es jenes erschreckende Bild ergibt, in dem ich mich unglückseligerweise gerade befinde.

Ich höre Oliver in meinem inneren Öhrchen nochmal sagen:

«Mein Vater hat hier ein Haus.»

«Man Vater hat ein Flugzeug.»

Die Vorzugsbehandlung im Sansibar. Die miteinander verbundenen Reetdachvillen. Ich sehe mich noch einmal durch das Haus schleichen – plötzlich sicher, dass ich schon mal da war.

Natürlich. Ich war schon zweimal hier. Im Haus Wellenbrecher. Dem Haus von Julius Schmitt. Seniorpartner von Philipp von Bülow. Berliner Promianwalt – und Vater von Oliver.

Mir ist überhaupt nicht klar, was ich sagen soll. Ich glaube, mein Mund steht auf unvorteilhafte Weise offen, während ich Julius Schmitt anstarre. Meine Augen, sowieso schon kullerrund, habe ich so sperrangelweit aufgerissen, dass sie aussehen müssen wie faustgroße Löcher in meinem Kopf.

Julius Schmitt macht keine Anstalten weiterzusprechen. Warum auch? Er schaut mich freundlich auffordernd an.

«Hallo, Julius», sage ich mit dünnem Stimmchen, «ähm, falls Sie mich jetzt für völlig verrückt halten, ähm, dann haben Sie Recht.»

«Aber, aber Kindchen», er legt mir väterlich den Arm um die Schultern, «vielleicht sollten wir erst mal reingehen, und Sie erklären mir bei einem Glas Wein, was Ihnen so Schreckliches passiert ist.»

«Nein! Bitte nicht. Ich ... Das geht wirklich nicht.»

Er schaut mich verständnislos an.

«Julius, ich wäre Ihnen wirklich sehr dankbar, wenn Sie mir helfen würden.»

Er mustert mich und schmunzelt. Hält das Ganze hier wohl für Schabernack.

«Da drinnen im Flur liegt irgendwo ein Ring. Mein Ring. Auf dem Fußboden. Würden Sie ihn bitte für mich holen?»

Julius schmunzelt immer noch.

«Und Sie sind ganz sicher, dass Sie nicht mit reinkommen wollen?»

«Ganz sicher.»

«Na gut. Dann mal los.»

«Danke.»

Er schließt die Tür auf und schaltet das Licht im Flur an. Ich ziehe Marple zu mir heran und reibe ihre kleinen Schlappöhrchen mit Daumen und Zeigefinger. Marple seufzt leise und leckt sich selig die Nase. Eine Entspannungsmassage für Hunde, die auch auf mich immer sehr beruhigend wirkt. Ich hebe sie hoch und lege mein Gesicht an ihr warmes Fell.

Was soll ich Julius sagen?

Die Wahrheit? Das wäre mal was anderes.

Eine plausible Lüge? Fällt mir so schnell keine ein. Wie soll ich meine Anwesenheit in so desolatem Zustand einigermaßen glaubhaft erklären? Nein, so viel Phantasie habe ich nicht.

Oder sage ich gar nichts? Ein kurzes «Dankeschön» und dann nix wie weg? Er würde sich womöglich wundern. Na und? Da ich Philipp von Bülow niemals wiedersehen werde, werde ich auch Julius Schmitt nie wiedersehen. Der Eindruck, den ich hinterlasse, kann mir also eigentlich total egal sein.

Ich mag Julius. Man kann vernünftig mit ihm reden. Er hat Sinn für eigenwilligen Humor und hat, soweit ich mich erinnern kann, immer gerne über meine Witze gelacht. Aber sobald es um die Manneswürde ihrer Söhne geht, verstehen Väter selten Spaß.

«So, meine Liebe, hier bringe ich Ihnen Ihren Ring. Und das hier gehört vermutlich auch Ihnen.»

Ups. Mein BH. Wie unangenehm. Die Uhr seines Sohnes lässt Julius taktvoll in seiner Anzugtasche verschwinden. Ein Gentleman alter Schule. Der würde wahrscheinlich zu einer Dame, die er versehentlich nackt in der Badewanne überrascht, sagen: «Excuse me, Sir!»

«Darf ich Sie noch irgendwohin bringen?»

«Ach, nicht nötig. Mein Auto steht vorm Sansibar.»

«Dann werde ich mir erlauben, Sie dorthin zu begleiten.»

Wir gehen schweigend nebeneinander her. Den Weg kenne ich. Keine vier Monate ist es her, dass ich hier Arm in Arm mit Philipp entlangschwankte.

Ich hatte ein, vielleicht auch zwei Gläschen über den Durst getrunken. Ich trinke gerne zu viel. Man hat doch irgendwie mehr Spaß, wenn die eine oder andere Promille im Spiel ist. Ganz getreu dem Motto meines lieben Burgis, der gern zu vorgerückter Stunde mit weinglänzenden Äuglein verkündet:

«Freunde, ich sage euch: Freude ohne Alkohol ist künstlich!»

Philipp war auch recht angeheitert, als wir Haus Wellenbrecher verließen. Er verträgt natürlich mehr als ich, aber die Wirkung des Alkohols ist bei ihm augenfälliger als bei mir. Ich bin ja immer zu Scherzen aufgelegt, redselig und offenherzig. Ob trunken oder nicht, der Unterschied in meinem Verhalten ist marginal. Bei Philipp hingegen fällt es schon auf, wenn er nach dem ersten Fläschchen häufiger mal lächelt und mit fortschreitendem Alkoholkonsum ab und an mal so herzhaft lacht, dass man seine gut gebauten Zähne sehen kann.

«Philipp», sage ich ja manches Mal neckisch zu ihm, wenn er

morgens zum Reinemachen im Bad verschwindet, «so selten, wie du deine Zähne zeigst, brauchst du sie dir eigentlich gar nicht zu putzen.»

Jedenfalls war der Abend sehr lustig. Gegen zwei lotste uns Julius in seinen Keller mit Sauna, Solarium, Whirlpool und funkelndem Sternenhimmel über dem Ruheraum.

Philipp, ich, Julius und dessen kleiner, dicker Golfpartner setzten uns in den Whirlpool. Selbstverständlich vollständig bekleidet. Julius im Smoking, Philipp in Brioni und der Dicke in karierten Hosen mit fiesem gelbem Rautenpullunder. Julius orderte übers Haustelefon Getränke und setzte per Fernbedienung die Bose-Anlage in Gang. Altherren-Musik vom Feinsten. Lieder, die schon in meiner Jugend Oldies waren. Herrlich. Ich sang laut mit, begleitet vom Blubbern des Whirlpools und begeistert von der Tatsache, die deutlich Jüngste in der Runde zu sein.

Don't you look at my girlfriend,
she's the only one I got ...

Leben die eigentlich noch, diese Menschen, die sich in der Steinzeit «Supertramp» nannten?

Take a jumbo 'cross the water
like to see America.

Ich planschte im Whirlpool rum, spürte eine ausgelassene Sehnsucht nach Zeiten, die so lang vorbei waren, dass ich sie noch nicht mal erlebt hatte.

Dann sprachen wir über die Liebe, im Allgemeinen, und im Besonderen. Ich spreche gerne über Intimes. Sozusagen mein Fachgebiet. Im Fühlen bin ich gut, und ich interessiere mich sehr dafür, was andere Leute fühlen.

«Lieben Sie Ihre Frau?», fragte ich den kleinen Dicken.

«Nein.»

Er schien nicht gewillt, das Thema zu vertiefen.

«Und Sie, Julius, lieben Sie Ihre Frau?»

«Nein, schon lange nicht mehr.»

«Warum sind Sie dann noch ein Paar?»

«Ich fürchte, das ist nur noch eine Frage der Zeit, meine liebe Puppe.»

Er machte die Musik lauter. Ich überlegte, was wohl in ihm vorging und ob er bei diesem Lied daran dachte, dass er seine Frau irgendwann mal geliebt hat.

Ich dachte an all die Frauen, die ihre Männer zu dem gemacht hatten, was sie waren: erfolgreiche, selbstbewusste, relativ gut er- und angezogene Menschen, die ihre vorteilhaft geschnittenen Boxershorts täglich wechseln, ihren Müttern Blumenarrangements zum Geburtstag schicken und ihre Kinder am liebsten schlafend vorfinden, wenn sie von ihren wichtigen Geschäften nach Hause kommen.

Ich habe nie um eines Mannes willen auf irgendwas verzichtet – einmal abgesehen von meiner Seelenruhe, von vielen, vielen Tafeln Nougatschokolade und ebenso vielen gemütlichen Nachmittagen, die ich statt aufm Sofa aufm Crosstrainer verbracht habe. Ich behaupte zwar immer, so wie alle mir bekannten Frauen auch, dass ich nur deshalb fettarm esse und Kalorien auf völlig unnatürliche Weise verbrenne, um mich selbst in meinem Körper wohl zu fühlen, aber das ist mindestens zu sechzig Prozent gelogen. Hauptsächlich möchte ich, dass andere sich mit meinem Körper wohl fühlen.

Was ich sagen wollte, ist, dass noch kein Mann auf dieser Welt Karriere gemacht hat, weil ich ihm den Rücken frei gehalten und meine Wünsche seinen untergeordnet habe. Dazu bin ich viel zu sehr bedürfnisorientiert. Und zwar orientiere ich mich da fast ausschließlich an meinen Bedürfnissen. Und trotzdem finde ich, gehört es sich, dass ich mich solidarisch erkläre mit Frauen wie der von Julius Schmitt.

Marita Schmitt. Seit siebenundzwanzig Jahren die Gemahlin an Julius' Seite. Hat ihre Ausbildung abgebrochen, um ihm während seines Studiums einen Sohn zu gebären – der mir vierundzwanzig Jahre später versautes Zeug ins Ohr flüstern sollte. Hat bei Abendeinladungen für den Chef ihres Mannes, als der noch einen Chef hatte, repräsentative Speisen zubereitet. Dabei hat Marita zwei, drei Konfektionsgrößen zugelegt. Genauso wie ihr Gatte.

Im Grunde wurden Julius und Marita, wie man es ja bei vielen Paaren, die sehr lange zusammen sind, beobachten kann, einander immer ähnlicher. Wie Geschwister wirkten sie, als ich Marita bei Julius' Fünfzigsten kennen lernte. Ihre Art, das Weinglas zu halten, den Fisch zu filetieren und die Stimme am Ende des Satzes plötzlich hochzuziehen wie eine zweimotorige Cessna vor einer unerwarteten Steilwand.

Es ist rührend, wie man Eigenschaften und Eigenarten des anderen übernimmt. Dazu muss man sich noch nicht mal sehr lieben, bloß eine gewisse Anzahl von Stunden in der Woche miteinander verbringen. Der Austausch von Angewohnheiten kann kuriose Züge annehmen, wie bei meiner Schulfreundin Kati. Deren Mann hört nach einer schlecht verheilten Mittelohrentzündung auf dem linken Ohr schlecht. Bei Gesprächen legt er seinen Kopf immer leicht schief, um den Sprechenden das rechte, gesunde Ohr entgegenzuhalten. Was soll ich sagen? Bei meinem letzten Besuch fand ich Kati mit exakt derselben Kopfhaltung vor, obschon sie auf beiden Ohren tadellos hört.

Bei den Schmitts gehen die Ähnlichkeiten sogar bis in die Physiognomie. Beide mittelgroß, breit in den Hüften und mit ganz erstaunlich dicken Nasen im Gesicht. Ob die Nase des einen im Laufe der Jahre aus Liebe immer dicker geworden ist?

Werde ich Philipp immer ähnlicher? Bin ich in fünfzehn Jahren vielleicht so groß wie er, also fast doppelt so groß wie heute? Oder wird er womöglich schrumpfen? Ob ich mir seine Art von Selbstbewusstsein zu Eigen machen werde? Dieses grundlegende Vertrauen in das Erreichen seiner Ziele, das manchmal so weit führt, dass Philipp sich nicht über einen Erfolg freut, weil er sowieso mit ihm gerechnet hat. Ich freue mich allerdings auch nicht so sehr über Erfolge, weil ich dann leicht schon mal denke, dass es so schwer ja nicht gewesen sein kann, wenn es sogar mir gelungen ist. Ob ich, wie Philipp, irgendwann glaube, dass ich im Recht bin? Lerne, sachliche Kritik nicht persönlich zu nehmen? Es schaffe, mir nur Bücher zu kaufen, die ich dann auch lese, und nur solche Fremdwörter zu benutzen, die ich auch wirklich verstehe? Ob ich irgendwann aufhöre, blöde Fragen zu stellen? Fragen wie:

«Gefällt dir Giselle Bündchen besser als ich?»

«Du magst doch keine großen Brüste, oder?»

«Guck mal, dieses rattenscharfe Super-Model, das gerade das Restaurant betritt – würdest du mit der schlafen, wenn du nicht mit mir zusammen wärst?»

«Hast du schon mal in Erwägung gezogen, mich zu betrügen?»

«An wen denkst du beim Onanieren?»

«Findest du mich auch noch schön, wenn ich neunundvierzig bin?»

«Hast du je eine Frau mehr geliebt als mich?»

Warum stellen Männer solche Fragen nicht?

Ja, warum? Weil sie nicht belogen werden wollen? Oder weil sie fürchten, Frauen würden ihnen ehrliche Antworten auf diese Fragen geben:

«Nein, Schnuffelbäckchen, um ehrlich zu sein habe ich gar nix gegen bretthharte Bauchmuskeln. George Clooney, nun, der sieht wirklich anbetungswürdig aus, aber bei dir beeindrucken mich die inneren Werte. Trotzdem würde ich George mit Sicherheit nicht aus dem Bett schubsen, zumal ich in meiner Phantasie schon Hunderte Male großartigen Sex mit ihm hatte. Deine Alterserscheinungen werde ich erst dann akzeptieren, wenn ich ganz sicher bin, dass ich mit meinen Alterserscheinungen keinen Jüngeren mehr abbekomme.

Nein, ich kenne keinen Mann, der solche Fragen stellt, und zum Glück auch keinen, der herzlos genug wäre, die Wahrheit zu sagen an Stellen, wo eine Lüge gesellschaftlich akzeptiert, ja sogar erwartet wird. Man imaginiere bloß folgenden apokalyptischen Dialog:

«Liebster, was wäre, wenn du mich nicht hättest?»

«Dann hätte ich 'ne andere.»

Pfui, ganz unvorstellbar. Wo kämen wir denn da hin, wenn Frauen auf einmal damit rechnen müssten, ehrliche Antworten auf ihre blöden Fragen zu bekommen? Die Menschheit würde aussterben. Ja, in der Tat.

Julius schenkte Champagner nach und unterbrach meine anthropologisch bedeutsamen Überlegungen.

«Wissen Sie, meine liebe Puppe, was besonders traurig ist? Nach fünfundzwanzig Jahren Ehe bin ich noch nicht einmal traurig darüber, dass ich meine Frau nicht mehr liebe.»

«Hey, wenn du nicht traurig bist, dann kannste doch froh sein», rief der Dicke taktlos.

«Das ist wirklich traurig», sagte ich ergriffen und ergriff unter Wasser Philipps Hand. Er drückte mich ganz fest, so als wolle er sagen: «Wir werden uns immer lieben, sei unbesorgt.»

«Natürlich haben wir auch mal gedacht, wir würden uns immer lieben», sagte Julius.

Ich wünschte, er würde nicht weitersprechen, weil ich an meinen Illusionen hänge und an die ewige Liebe, an die Wirksamkeit von Skin-Repair-Cremes und die Aufrichtigkeit der Fernseh-Werbung glauben möchte.

«Liebe muss nicht zwangsläufig aufhören», sagte ich trotzig und versuchte, mich auf das von mir sehr geschätzte Lied «Your song» von Elton John zu konzentrieren:

I hope you don't mind
that I put down in words
how wonderful life is
while you're in the world.

23:38

«Und, meine liebe Puppe Sturm, glauben Sie immer noch an die große, unendliche Liebe?»

«Nein, zurzeit nicht.»

Julius und ich waren bei meinen Wagen angelangt. Wir hatten auf dem Weg kein Wort gesprochen, aber es war kein unangenehmes Schweigen gewesen. Ich hatte nicht das Gefühl, dass er eine Erklärung von mir erwartete. Er schien weit weg zu sein mit seinen Gedanken und wirkte irgendwie bekümmert. Trotzdem hatte ich den Eindruck, dass ihm meine Gegenwart nicht unangenehm war.

Er nimmt meine Hand in beide Hände.

«Was vorgefallen ist, geht mich nichts an, und ich werde Sie nichts fragen, aber ich hoffe sehr, dass wir uns bald wiedersehen, und dass wir beide dann wieder an die Liebe glauben.»

«Julius?»

«Ja?»

«Es geht mich nichts an, aber ich werde Sie trotzdem fragen. Ist bei Ihnen alles in Ordnung? Sie wirken so bedrückt.»

«Bei mir ist zurzeit alles in Unordnung. Ab morgen wird in meinem Leben nichts mehr so sein, wie es mal war. Aber wissen Sie was? Ich freue mich darauf. Es ist gut. Nein, es wird gut.»

Normalerweise bin ich nicht der Typ, der aufhört nachzufragen, wenn's richtig interessant wird. Aber diesmal bin ich von ungewohnter Sensibilität und Dezenz.

«Das würde mich sehr für Sie freuen, Julius, wirklich.»

Wir schauen uns noch ein paar Sekunden in schönem Einvernehmen an, dann küsst mich Julius auf die Wangen und geht davon.

Eine Weile höre ich noch seine Schritte. Dann ist es still. Und ich wüsste nicht zu sagen, wann in meinem Leben ich mich jemals einsamer gefühlt habe.

23:57

Noch drei Minuten bis zu meinem Geburtstag.

Bis zu meinem neuen Jahr.

Meinem neuen Leben. Ich habe kein neues Leben gewollt, und in meinem Alter wird man auch nicht mehr gerne älter, deshalb hält sich meine Freude in Grenzen. Ich habe Gas gegeben wie eine Irre, um es rechtzeitig hierher zu schaffen. An diesen magischen Ort, hoch über der Welt.

Ich habe direkt an der Kante des Roten Kliffs geparkt. Dreißig Meter unter mir ist der Strand. Es ist Flut, und wenn ich mich in meinem Sitz zurücklehne und die Augen fast ganz schließe, kann ich mir vorstellen, ich würde über das dunkle Wasser fliegen.

Der Mond ist in dieser Nacht so klar und leuchtend, als wolle er mir eine besondere Freude machen. Ich liebe ihn wie einen alten, schrulligen Freund, dem man alles verzeiht. Ich liebe ihn, weil ich, wenn ich ihn anschaue, mir vorstelle, wer ihn bereits vor mir angeschaut hat. Jeder Mensch, der jemals gelebt hat, hat den Mond gesehen. Der erste Mensch. Caesar. Goethe. Columbus. Nofretete. Luther. Rock Hudson. Gandhi. Amelie Tschuppik. Sitting Bull. Marilyn Monroe.

Sie alle haben irgendwann mal in ihrem Leben, so wie ich jetzt, nach oben geschaut und Trost gesucht. Und manches Mal Trost gefunden.

Die Sterne waren noch nie so nah wie heute. Ich strecke einen Arm aus, pflücke ein paar von ihnen vom Himmel und lege sie neben die schlafende Marple auf den Beifahrersitz. Ich habe sie mir verdient. Und ich kann sie brauchen.

23:58

Jetzt.

Für jetzt gibt es nur ein einziges Lied: «Pink Moon». Ich glaube, dass der weise, früh verstorbene Nick Drake es nur für mich geschrieben hat. Und nicht für den Golf-Cabrio-Werbespot, für den es vor ein paar Jahren wieder ausgegraben wurde. Er dachte:

«Irgendwann wird eine Frau an roten Klippen stehen und sich vorstellen, sie würde über das Meer bis zum Mond fliegen, mit dem sie schon seit langem eine freundschaftliche Beziehung pflegt. Sie wird traurig sein, und es werden noch genau zwei Minuten sein bis Mitternacht. Bis zu ihrem Geburtstag. Und mit jedem Geburtstag beginnt etwas Neues. Und diesmal ganz Besonderes. Und deshalb schreibe ich ihr einen Song, der zwei Minuten dauert. Genau zwei Minuten. Ein Lied, mit dem sie fliegen kann und ihren Freund, den Mond, besuchen. Pink Moon. Happy Birthday, Puppe Sturm.»

Und er singt:

I saw it written and I saw it say
Pink moon is on its way.
And none of you stand so tall
Pink moon gonna get ye all
And it's a pink moon
Yes, a pink moon.

Sonntag, 00:00

Einen Moment lang überlege ich, einfach Gas zu geben und zu fliegen.

Wow!

Das wäre was!

Was für ein Abgang!

Der Pastor würde schwer an Tränen schlucken, und das, obschon er mich gar nicht gekannt hat, da ich ja vor fünfzehn Jahren aus der Kirche ausgetreten bin. Aber er würde einfach intuitiv spüren, welch eine großartige, intensive Persönlichkeit da ihr Leben frühzeitig beendet hat. Meine Jugendfreundin Kati, eine Expertin für große Gesten, würde an meinem offenen Grab hysterisch kreischend auf Philipp deuten, «Mööööörder!» schreien und nur mit der gemeinsamen Anstrengung ihres Mannes und ihres Liebhabers davon abgehalten werden können, ihn mit dem Spaten zu erschlagen.

Philipp würde an meinem Grab zusammenbrechen, die Hände auf meinen weißen Sarg legen und sich weigern, wieder aufzustehen.

Ach, ich liebe es, mir meine eigene Beerdigung farbenprächtig auszumalen. All die verzweifelten, schuldigen Menschen, denen ich meinen Tod von Herzen gönne. Das haben die jetzt davon! Zu spät, sich zu entschuldigen! Selber schuld!

Bedauerlich an diesen Phantasien, die mir immer wieder viel Freude bereiten, ist die Tatsache, dass der Tod mir persönlich ja viel zu endgültig ist und dass man bei der eigenen Trauerfeier zwar die Hauptperson, aber tot ist. Da hast du endlich deinen großen Auftritt und bekommst davon nichts mehr mit. Nein, diese Form der Zurückhaltung liegt mir nicht. Ich bin schon lieber leibhaftig dabei, wenn es um mich geht. Deswegen ziehe ich es vor, erst im hohen Alter zu sterben, weil man als Lebendiger einfach sehr viel mehr Möglichkeiten hat, Rache zu üben an nichtswürdigen Mitmenschen.

Also dann. Auf ein neues Jahr. Auf ein gutes Jahr. Das Schöne ist ja, dass es nur besser werden kann. Und wer kann das schon behaupten?

Fühle mich geradezu beneidenswert.

«Herzlichen Glückwunsch!», brülle ich mich selbst an. Marple hebt erschrocken den Kopf und seufzt angesichts der nächtlichen Ruhestörung. Ich gebe ihr einen herzlichen Kuss auf ihre feuchte Nase. Danach sieht sie, wenn überhaupt möglich, noch etwas deprimierter aus als sonst. Ich lege den Rückwärtsgang ein, winke Freund Mond zum Abschied, und dann beginne ich mein neues Leben.

10:13

Hääähh? Harghhhmmph? Ooohaauuha. Hauuaahh. Werbinnich? Wobinnich? Wer haut mir da aufm Kopf rum? Und warum?

11:45

Ooohhh. Diese Schmerzen.

Weil es mir an allen Ecken und Enden wehtut, weiß ich gar nicht, worunter ich zuerst leiden soll. Gut, die Kopfschmerzen habe ich schnell lokalisiert und diagnostiziert. Alkohol-Abusus in Kombination mit ungewohnt hohen Nikotindosen. Unerfreulich, jedoch nichts Ernstes. Aber was zum Teufel ist mit meinem Rücken los, meinen Beinen, meinen Armen? Fühle mich, als sei ich in eine üble Schlägerei zwischen Punks und Skinheads geraten.

Wobei ich das ehrlich gesagt gar nicht so richtig beurteilen kann, weil ich mich noch nie geprügelt habe. Ich bin ein bisschen feige, was körperliche Auseinandersetzungen angeht. Nun, eigentlich, was Auseinandersetzungen überhaupt angeht. Konflikte auszutragen liegt mir nicht. Mich braucht einer nur böse anzuschauen, und ich bin bereit, alles, aber auch alles, was ich je in meinem Leben gesagt habe, zurückzunehmen.

Das Brutalste, was ich je einem anderen Menschen antat, war, dass ich als Elfjährige voll berechtigten Zornes einen nassen Schwamm auf eine mir verhasste Mitschülerin warf. Ich war damals sowohl schlecht im Werfen als auch im Zielen, was sich übrigens leider auch später nicht ändern sollte. Der Schwamm verfehlte meine Feindin um etliche Meter und traf stattdessen meine beste Freundin mitten im Gesicht, womit die Freundschaft fürs Erste beendet war.

Ich blinzle übellaunig in die Sonne, die mir von irgendwoher direkt ins Gesicht scheint, und werfe einen trüben Blick auf meinen geschundenen Körper.

Na ja, kein Wunder. Das Praktische an mir ist, dass man mich, weil ich nicht sehr groß bin, fast überall zum Schlafen ablegen kann. Ich schlummere in der kleinsten Nische und auf jedem Zweisitzer-Sofa. Aber nur weil ich auf fast jede Unterlage draufpasse, heißt das nicht automatisch, dass ich überall auch gut schlafe.

In diesem Augenblick zum Beispiel liege ich schmerzgepeinigt auf der Rückbank meines Autos. Unzureichend zugedeckt von meinem klammen Badehandtuch. Meinen Kopf unvorteilhaft gebettet auf eine Plastiktüte mit Büchern. Auf meinen Beinen hat es sich Miss Marple gemütlich gemacht – was den Vorteil hat, dass ich meine Beine nicht mehr spüre. Weil, würde ich sie spüren, täten sie sicher auch weh.

Langsam erinnere ich mich an die letzten Stunden der vergangenen Nacht. Hatte meinen himmelblauen Spider auf den Parkplatz vor der Sturmhaube in Kampen gefahren, mir die Lippen nachgezogen, die Wimpern getuscht und war dann in Begleitung von Marple reinmarschiert, um meinen Geburtstag zu feiern. Mehrere gut aussehende Männer hatten mich nicht angesprochen, was mir Leid tat, mich aber dank nicht mehr vorhandenen Selbstbewusstseins nicht wirklich kränkte.

Erst gegen zwei hatte ich ein bekanntes Gesicht entdeckt: die Frau von Julius Schmitt. Wie hieß sie noch gleich? Renate? Petra? Monika? Ich beobachtete sie unauffällig. Absolut der Typ Frau, deren Vornamen man sich nie merken kann. Arme Frau. Sie starrte ein paar Sekunden lang zu mir herüber. Gleich würde sie herkommen und mir ihr Leid klagen. Danach war mir nun überhaupt nicht zumute. Bei aller Frauensolidarität, irgendwo muss Schluss sein. Gerade wollte ich mich wegdrehen und demonstrativ aus dem Fenster gucken, da drehte sie sich weg und guckte aus dem Fenster. Sie hatte mich nicht erkannt. Eine Frechheit! Am liebsten wäre ich zu ihr rübergegangen, um ihr zu sagen, dass mir an ihrer Gesellschaft nichts liegt und ich mich nicht mal an ihren Vornamen erinnern kann.

Aber wie ich sie mir so ansah, ging es ihr auch ohne meine Herabwürdigung schon schlecht genug. Sie sah unglaublich einsam aus. Wahrscheinlich so wie ich. Sie trank Gin Tonic, so wie ich. Ab und zu ging sie auf die Tanzfläche. Allein. Diese dickliche Dame mit der dicken Nase, die aussah wie ihr Mann, der ein neues Leben beginnen würde. Ohne sie.

Hingerissen tanzte sie zu dem Lied von Gloria Gaynor, zu dem alle Frauen begeistert tanzen, die leiden. Und die, die am lautesten mitsingen, sind die, die am allerärmsten dran sind. Ich tanzte nicht, aber ich sang leise vor mich hin:

Oh no not I
I will survive!
Oh as long as I know how to love
I know I'll stay alive.

Ich zahlte.

Als ich ging, tanzte sie immer noch. Renate, Petra oder Monika Schmitt. Eine Frau, deren Vornamen man sich nicht merken kann und deren Nachnamen ihrem Mann gehört.

Go on now, go
Walk out the door
Just turn around now
Cause you're not welcome anymore ...

Wir beide taten mir Leid.

Ich ging zu meinem Auto, legte meinen Kopf auf die Plastiktüte mit Büchern und meine Hand auf Miss Marples faltiges Fell. Und schlief ein.

13:55

«Dies ist der Anschluss von Ingeborg Himmelreich. Wenn Sie eine Nachricht hinterlassen, rufe ich Sie gegebenenfalls zurück. Piep.»

«Ibo, hier ist Puppe. Schade, dass du nicht da bist. Im Himmelreich hab ich's schon probiert, aber ich weiß ja, dass du heute keinen Dienst hast. Ich wollte dir sagen, dass ich mich jetzt auf den Weg nach Hamburg mache. Ich bin noch auf Sylt und nehme gleich den Autozug. Ich rufe aus einer Telefonzelle am Bahnhof an, weil mein Handy leer ist. Können wir uns heute am frühen Abend sehen? Dann kann ich dir endlich erzählen, was passiert ist. Ich versuch's wieder bei dir, sobald ich in Hamburg bin. Tschüs, bis dahin.»

Hab jetzt echt die Nase voll von Ablenkung. Klappt ja doch nicht. Ich fahre nach Hause und werde mich dort ganz der klassischen und im Grunde auch bewährten Form der Problembewältigung hingeben: Wein, Weib und Gesang. Einen eiskalten Gavi di Gavi auf der Terrasse trinken. Meinem Lieblingsweib Ingeborg endlich meinen gesamten Leidensweg schildern. Zart begleitet von «The only one» von Lionel Ritchie. Eine Stimme wie warme Vanillesauce.

Let me tell you now
all that's on my mind.

Und wenn Ibo erst die ganze, grausame Wahrheit kennt, werde ich ziemlich viel weinen. Sie wird mir ganz lange den Kopf streicheln, sehr viel Verständnis haben und hoffentlich so Sachen sagen wie:

«Jetzt kann ich's dir ja sagen, aber ich hatte bei Philipp von Anfang an kein gutes Gefühl.»

Oder: «Du solltest Mitleid mit ihm haben, Puppe, der Mann hat doch sein Leben verpfuscht.»

Oder: «Jetzt hör auf zu heulen und lass uns über das Wesentliche sprechen: über Rache.»

Ingeborg ist im Gegensatz zu mir eine fabelhafte, weil phantasievolle Rächerin. Sie stammt aus Ostfriesland. Vergesse den Namen des Ortes immer, irgendwo jedenfalls hinter Emden. Abgesehen von regelmäßigen Besuchen bei ihren Eltern fährt Ibo einmal im Jahr, immer zwischen Ostern und Pfingsten, in ihr Kaff, um Vergeltung zu üben. Letztes Mal hat sie mich mitgenommen, und ich muss sagen, ich habe meine pragmatische Freundin nicht wiedererkannt und selten so viel Spaß in einer Nacht gehabt.

Erst brachten wir uns in der Dorfdisco mit dem ausgefallenen Namen Number One in Stimmung. Ich sah dort Frisuren, von denen ich dachte, dass sie mittlerweile verboten seien. Außerdem eine atemraubende Dichte von Lederslippern mit Bommel dran und, ich traute meinen Augen kaum, auf dem Parkplatz einen tiefer gelegten roten Scirocco mit einem Airbrush-Tigerkopf auf der Motorhaube.

«Der gehört Guido», sagte Ibo.

«Hast du mit dem etwa auch geschlafen?»

«Mmmmh. Kann schon sein. Hier gibt's eben nicht so viele passable Männer. Wenn man als junges Mädchen trotzdem Erfahrungen machen wollte, musste man halt nehmen, was da war.»

«Verstehe.» Ich schwieg beschämt.

Schon in der Disco war ich in einen Fettnapf getreten, als ich beim Anblick eines Prolls in mein dreckigstes Gekicher ausgebrochen war. «Guck mal, der sieht ja original aus wie Zlatko, bloß noch drei Nummern bescheuerter.»

«Das ist Slobodan. Wir nennen ihn Slobbi Long Long. Du kannst dir denken, warum. Zu meiner Zeit war er sehr beliebt, und ich habe meine Unschuld an ihn verloren.»

«Slobbi Long Long? Ingeborg Himmelreich, davon hast du mir nie was erzählt. Da bist du ja gleich zu Beginn ganz groß ins Geschäft eingestiegen.»

Ich musste mich kaputtlachen. Meine eigenen Witze finde ich zum Brüllen komisch, besonders, wenn sie so schlecht sind.

Gegen zwei meinte Ibo, die Zeit der Rache sei gekommen. Wir verließen die Disco, und nach fünf Minuten auf einer stockdunklen Landstraße befahl sie mir zu halten.

«Du musst nicht mitmachen, wenn du nicht willst.»

Ich schaute sie erschrocken an. Wo war ich hier reingeraten? In eine jahrhundertealte ostfriesische Stammesfehde? Würde es Verwundete geben?

«Ich bin dabei.»

«Dann los.»

Sie drückte mir einen schweren Einkaufsbeutel in die Hand, und ich folgte ihr zu einem Backsteinhaus mit dem Schild «Pension Lautenschläger». Ibo zog eine Spraydose aus ihrer Manteltasche und besprühte das Schild, bis nichts mehr zu lesen war. So lässig, als hätte sie ihr Leben lang nichts anderes gemacht.

«Du übernimmst die Eingangstür. Ich kümmere mich um die Fenster und die Gartenmöbel», flüsterte sie.

«Ibo, was soll ich …?»

«Eier.» Sie deutete auf den Beutel in meiner Hand. «Und wenn du fertig bist, dann nix wie weg. Meike hat einen leichten Schlaf um diese Zeit.»

«Was? Wer? Ibo!?»

Aber Ibo hatte schon angefangen. Schmiss ein Ei nach dem anderen Richtung Fenster. Das satte Klatschen machte mir den Aberwitz der Situation bewusst: Zwei erfolgreiche Geschäftsfrauen, von denen eine nicht zielen kann, bewarfen nachts um drei eine ostfriesische Pension mit Eiern.

Als eines meiner Eier versehentlich an einem der oberen Fenster zerschellte, ging Licht an.

«Mist», zischte Ibo.

Wir rannten zum Auto zurück und hörten hinter uns eine Frauenstimme kreischen: «Ludger! Die Eier! Es sind wieder die Eier!»

Nach ein paar Kilometern drosselte ich das Tempo. Wir brachen in Gelächter aus, bis uns Tränen über die Wangen liefen.

«Ibo, was war das denn?»

Sie knipste die Innenbeleuchtung an, griff zur Rückbank und reichte mir eine Ausgabe der «Ostfriesischen Landzeitung» vom vergangenen Jahr. Eine Meldung war rot umkringelt.

SCHON WIEDER EIERATTACKE AUF PENSION LAUTENSCHLÄGER

In der Nacht zum Samstag wurde die Pension Lautenschläger Opfer von Vandalen. Die Fassade wurde mit Eiern beworfen und das Namensschild des

> Familienbetriebes mit schwarzer Farbe unkenntlich gemacht. Ludger und Meike Lautenschläger haben keine Erklärung, warum sie seit neun Jahren Ziel dieser Attacken sind. Der oder die Täter entkamen unerkannt.

«Neun Jahre?» Ich starrte Ingeborg an und ließ meinen Mund offen stehen, um meiner Verwunderung noch mehr Ausdruck zu verleihen.

«Mit heute zehn.»

«Was hat dir diese Meike getan?»

«Vor zehn Jahren bin ich hier weggegangen, weil ich eine Stelle in Hamburg bekommen hatte. Ludger wollte nachkommen. Er kam aber nicht. Er heiratete Meike und übernahm die Pension ihrer Eltern.»

«Und du bist immer noch verletzt? Nach zehn Jahren? Der Typ muss ja wirklich deine große Liebe gewesen sein.»

«Ach was, ich hatte nach drei Monaten einen neuen, der mir viel besser gefiel als dieses Landei. Aber keiner, der mich so schlecht behandelt, soll ungeschoren davonkommen. Und mittlerweile ist es schon ein lieb gewonnenes Ritual. So ähnlich wie Osterfeuer anzünden oder die Weihnachtsdeko anbringen. Ich fahre jedes Jahr da hin und werfe meine Eier. Du magst das lächerlich finden, aber mir tut es gut. Es macht mich irgendwie selbstbewusster, und ich fühle mich jung.»

«Ich finde das gar nicht lächerlich. Und ehrlich gesagt, fühle ich mich auch so jung wie schon lange nicht mehr.»

«Wirklich?»

«Mmmh. Wie mit dreizehn. Vielen Dank dafür, Frau Himmelreich, du völlig bekloppte Rächerin aller betrogenen Frauen.»

Noch in derselben Nacht fuhren wir nach Hamburg zurück. Erzählten uns Geschichten aus unserer Jugend. Geschichten von Liebeskummer und unbeholfenem Sex, von Matheklausuren und Interrail-Touren nach Portugal, vom Verliebtsein in Jungs, sie sich schon einmal in der Woche rasieren mussten.

Es war eine herrliche Nacht.

15:50

Herrschaftszeiten!

Nichts geht mehr.

Kein einziger Meter in den letzten zehn Minuten. Wahrscheinlich hat vor zwei Stunden eine Frau – Mitte dreißig und mit dem Aufkleber «Ich bremse auch für Tiere» auf ihrem Passat-Kombi – versucht, einen Lastwagen zu überholen, dafür eine halbe Stunde gebraucht und so diesen kilometerlangen Stau hinterlassen.

Wenn ich eines nicht leiden kann, dann im Stau zu stehen. Zäh fließenden Verkehr lasse ich mir ja noch gefallen, da ist wenigstens noch ein bisschen was in Bewegung. Aber Stillstand auf der Autobahn, das stellt meine Geduld – und davon habe ich ohnehin nicht viel – auf eine sehr harte Probe.

Motor aus. Ich meine, Motor aus auf der Autobahn, das ist wie Kiefersperre im Gourmet-Restaurant.

Neben mir sitzt einer im Ford und packt ein Schinkenbrot aus. Schön, dass es dieses Butterbrotpapier noch gibt, denke ich. Ist wie früher in den großen Pausen in der Schule. Graubrot mit Schinken. Manchmal auch mit Nutella. Ach ja. Lange her.

Meine Güte, fällt mir nix Besseres zum Denken ein? Schinkengraubrot mit Butterbrotpapier. Lange nicht mehr so langweilige Gedanken gehabt. Ich langweile mich, deswegen denke ich langweiliges Zeug. Und mir ist heiß. Und weil mein Handy leer ist, kann ich Ibo nicht anrufen, um zu fragen, was es Neues gibt. Ob Philipp sich gemeldet hat? Ob er noch auf der Suche ist nach mir? Ob er unglücklich ist ohne mich? Ob er mich zurückhaben will? Ob er mich trotz allem liebt? Ob es ihm Leid tut?

Aber was hätte ich davon, wenn's ihm Leid tut? Würde auch nichts ändern. Weil die Dinge nun mal so sind, wie sie sind.

Der Schinkenbrot-Esser lächelt mir zu. Ich lächle nicht zurück. Erst sich von seiner Alten 'ne Stulle für unterwegs schmieren lassen und dann junge Mädels im Stau anmachen. Nicht mit mir. Würde gerne rübermarschieren und ihm freundlich lächelnd einen Liter Milch in die Lüftungsschlitze gießen. «Milch und Japanische Fischsauce, das stinkt wie Sau im Auto, und zwar monatelang», hatte mir Ibo mal verraten. Möchte gar nicht so genau wissen, woher sie das weiß. Bin froh, ihre Freundin und nicht ihre Feindin zu sein.

Ich wäre auch gerne eine, die man nicht zur Feindin haben möchte.

Muss an meinem bedrohlichen Image arbeiten. Schaue gefährlich zu Herrn Schinkenbrot. Versuche verachtend eine Augenbraue in die Höhe zu ziehen. Der Typ fühlt sich ermuntert und fügt seinem Lächeln noch ein neckisches Winken hinzu. Wenn mich nicht alles täuscht, sehe ich einen Ehering an seinem Finger. Nichts, was in meinen Augen einen balzenden Mann mehr disqualifiziert als neckisches Winken mit einem Ehering an der Hand.

Nein, so macht das Single-Sein überhaupt keinen Spaß. Ich schaue angewidert in die andere Richtung. Ein sexuell übereifriger Jurastudent mit Frottébettwäsche und ein verheirateter Ford-Fahrer mit Schinkenstulle – das sind die Männer, die in der mehr oder weniger freien Wildbahn auf mich warten.

Nein, eigentlich will ich nicht wieder da hinaus. Will mich nicht wieder beweisen müssen, nicht wieder klüger oder dümmer tun, als ich bin – je nachdem, für welchen Mann man unterhaltsam sein möchte. Will nicht wieder interessiert nicken und beeindruckt «Tatsächlich?» flüstern, wenn mir irgendein Depp von seinem Aufstieg zum Filialleiter bei Burger King berichtet. Will nicht wieder in Bars stehen, die heutzutage ja auch gar nicht mehr Bars, sondern Lounges heißen und mir abschätzend das vorhandene Männermaterial anschauen. Mit einem Blick wie beim Gemüsetürken, wenn ich mir nicht ganz sicher bin, ob die Avocados reif genug und die Erdbeeren süß genug sind für meinen Geschmack.

Nein, das ist unkorrekt formuliert. Natürlich habe ich die anwesenden Männer in Bars auch in den letzten zwei Jahren immer eingehend und wertend, meistens abwertend, gemustert. Aber mit dem guten und beruhigenden Gefühl, dass zu Hause einer auf mich wartet, der mir tausendmal besser gefällt als alles, was ich bisher gesehen habe.

Was für ein schönes Gefühl: Du schließt leise, um ihn nicht zu wecken, die Haustür auf. Schleichst auf Seidenstrümpfen ins Bad zum Zähneputzen und Abschminken, weil, an dieser Stelle sei es ganz eindringlich gesagt: Diszipliniertes Abschminken vor dem Zubettgehen ist der Garant für eine gesunde und reine Haut bis ins hohe Alter. Deine Haare, dein Kleid riechen nach Zigarettenrauch, du hast Wein getrunken, hast ein wenig geflirtet und zusammen mit deiner besten Freundin so getan, als wärt ihr siebzehn, schlank und unstillbar neugierig auf fremde Küsse. Hast blonde Männer etwas länger angesehen als nötig und gekichert wie ein Teenager, weil sie dir einen Drink ausgegeben haben. Du hast ein Spiel gespielt, das du nicht verlieren konntest, hast so getan, als seist du auf der Suche, obwohl du deinen Schatz längst gefunden hast. Hast Männern zweideutige Lächeln geschenkt. Hast viele beeindruckt, weil du niemanden beeindrucken musstest.

Und dann kommst du nach Hause, an einem späten Abend, an dem vieles möglich gewesen wäre, ziehst deinen Schlafanzug an, der nach Lenor riecht. Gehst barfuß leise ins Schlafzimmer. Kriechst unter deine Bettdecke. Er hat sie für dich aufgeschüttelt. Und dann hältst du den Atem an, um seinen Atem zu hören. Seinen Schlaf-Atem. Regelmäßig und tief. Hin und wieder mit einer sanften Schnarchbeimischung, die um diese Zeit dein Herz so rührt, dass dir Tränen in die Augen steigen im dunklen Zimmer. Und dann raschelst du laut mit der Bettdecke, hustest ein bisschen, und schiebst deinen Fuß rüber auf seine Seite, um ihn heftig, aber gerade noch sanft genug gegen die Wade zu treten, um nachher behaupten zu können, du hättest dich lediglich im Schlaf bewegt. Weil, wenn er dann halbwegs aufwacht, geschieht das Wunderbare: Dann tastet er nach dir, zieht dich an sich, auf seine Seite, in seine Arme, an seine spärlich behaarte Brust, die der schönste Ort der Welt ist, grunzt irgendetwas Unverständliches, was nichts zur Sache tut, aber sehr, sehr freundlich klingt, und legt seine Wange in die kleine, stets warme, stets duftende Vertiefung zwischen deinem Hals und deiner Schulter und schläft wieder ein. Und schnarcht ein wenig. Und du fühlst dich zu Hause und geborgen vor allem Übel, getröstet von allem Kummer, befreit von allen Sorgen – wie an den Abenden, als du noch ein Kind warst, deine Mutter an deinem Bett saß und dir «Schneeweißchen und Rosenrot» vorlas und immer ein kleines Licht anließ, bevor sie dich dem Schlaf überließ und hinunterging in die Küche.

Es gibt nichts Besseres als Liebe. Das ist so.

16:07

Dicke Sauerländer Bockwurst. Na bravo. Nachdem ein halbes Dutzend Autofahrer vor mir das Warten aufgegeben haben und über die Standspur zur nächsten Ausfahrt gefahren sind, stehe ich jetzt direkt hinter einem haushohen LKW. Aufschrift: «Dicke Sauerländer Bockwurst». Darunter ein naturgetreues Porträt des

Frachtgutes. Ekelhaft! Wenn man Kummer hat statt Hunger, dann kann man wirklich nicht ungünstiger platziert sein.

Der Sauerländer Laster spuckt mit unschöner Regelmäßigkeit eine dicke, schwarze, stinkende Wolke aus seinem Auspuff direkt in meine Lüftung. Ich atme Abgase, stehe bewegungslos im Stau, habe mein Lebensglück verloren und schwitze im Schatten einer dicken Wurst. Wenn mir nicht auf der Stelle ein aufmunternder Zeitvertreib einfällt, werde ich meine Depressionen möglicherweise in Aggressionen umwandeln und sowohl das Schinkenbrot neben mir als auch die Bockwurst vor mir tätlich angreifen und mich dabei strafbar machen. Zum Zeitvertreib, aber hauptsächlich zum Trost gegen trübe Gedanken, die sich nun kaum mehr vermeiden lassen, sage ich das einzige Gedicht auf, das ich auswendig kann. Heinrich Heine. Konnte damit immer Eindruck schinden.

«Herz, mein Herz, sei nicht beklommen
Und ertrage dein Geschick,
Neuer Frühling bringt zurück,
Was der Winter dir genommen.

Und wie viel ist dir geblieben!
Und wie schön ist doch die Welt!
Und, mein Herz, was dir gefällt,
Alles, alles darfst du lieben!»

Aber es tröstet nicht. Weil meinem Herzen nichts mehr gefällt. Ach, was für ein verdammter, verdammter Scheiß!

16:25

Habe eine gute Idee. Werde innerhalb von drei Minuten die zehn besten Gründe aufzählen, warum es toll ist, Single zu sein. Warum Single sein ein erstrebenswerter Zustand ist. Warum heute ein Feiertag ist. Warum ich mich auch in zehn Jahren noch gerne an heute erinnern werde. Den Tag, an dem Amelie Puppe Sturm ihre Freiheit zurückgewann.

Endlich!

Single!

Hurra!

Hier die Liste mit den allerbesten Gründen, die mir auf die Schnelle einfallen.

16:28

…

16:29

…

16:30

Verdammt!

Bin total blockiert.

Bis gestern, als ich noch in einer geregelten Zweierbeziehung lebte, fielen mir stündlich mindestens zwanzig Gründe ein, warum es besser wäre, Single zu sein. Ich dachte quasi mehrmals in der Woche ernsthaft über Trennung nach. Das war mir ein steter Quell der Beschäftigung und des inneren Aufruhrs. Ich hab's eben nicht gern, wenn ich nix hab. Und manchmal habe ich mich ehrlich gesagt gefragt, worüber ich mich abends nach der Arbeit mit Ingeborg unterhalten hätte, wenn mir Philipp nicht so viele interessante Probleme bereitet hätte.

Über Politik? Ibo kennt sich da recht gut aus. Sie war früher sogar aktives Mitglied der Grünen und hat sich auch mal aus Protest an irgendwas festgekettet. Wogegen sie protestiert hatte, wusste sie heute nicht mehr so genau, aber es sei ein tolles Erlebnis gewesen.

Wenn sie mit leuchtenden Augen von der Brokdorf-Demo erzählt, dann frage mich, womit ich eigentlich meine Zeit verplempert habe, als ich jung und energiegeladen war. Da hätte ich noch die Zeit gehabt, mich für etwas, was nicht direkt mit mir zu tun hatte, zu engagieren und mich an etwas festzuketten.

Nein, Politik ist nicht mein Steckenpferd. Und seit ich Ulrich Wickert mal persönlich kennen gelernt habe, kann ich mich auch kaum noch dazu durchringen, die Tagesthemen zu gucken. Ich sage euch, wer einmal auf einer Party neben Wickert stand und sein wieherndes Lachen gehört hat, den verfolgt dieses phobische Erlebnis noch jahrelang. «Harr hohoho harrharr.» Ungefähr so. Kriege heute noch bei dem Gedanken daran eine Gänsehaut.

Zwischenmenschliche Beziehungen und deren Störungen, darüber kann man mit mir klug und über Stunden fachsimpeln. Ich bin eine gute Zuhörerin, wenn es um Liebeskummer, Trennungsgedanken, Zweifel an der Beziehung im Allgemeinen und am dusseligen Partner im Besonderen geht. Es gibt kein Problem, in das ich mich nicht sofort hineinversetzen könnte. Nächtelang haben Ibo und ich über unseren Beziehungen gebrütet, unbedachte

Äußerungen und Gesten analysiert, Taktiken zur Wiedererlangung des Selbstwertgefühls, des Partners oder des häuslichen Friedens entworfen. Haben krakeelt und gemeckert über schlechte Behandlung und mangelnde Aufmerksamkeit.

Ich erinnere mich an einen bezeichnenden Abend mit Ibo im Himmelreich. Die letzten Gäste waren längst gegangen, wir hatten die Tür zugesperrt und saßen an unserem Lieblingstisch am Fenster, eine Flasche Prosecco und einen überquellenden Aschenbecher zwischen uns. Ich war milde gestimmt, denn Philipp hatte mir unerwartet einen schönen Frühlingsstrauß per Fleurop geschickt und auch ansonsten keinen Anlass zur Klage gegeben. Es gibt ja so harmonische Phasen, die glücklicherweise dann irgendwann auch ein ganz harmonisches Ende finden.

An jenem Abend war Ibo schlecht gelaunt.

«Was ist denn los mit dir?»

«Konrad geht mir so was von auf'n Wecker. Davon machst du dir keinen Begriff.»

«Schon wieder?»

«Du meinst wohl eher: immer noch.»

«Ach Ibo, du bist aber auch kritisch.»

Es ist sonst nicht meine Art, die Partei eines Mannes zu ergreifen, schon gar nicht, wenn es der Mann ist, der meiner besten Freundin Ungemach bereitet. Aber Konrad tat mir allmählich wirklich Leid. Seit einem halben Jahr versuchte er nun, es Ibo recht zu machen.

Sie hatten sich in der Sauna des Meridian kennen gelernt. Ibo war gerade willig und hatte sich von Konrad auf einen frisch gepressten Fruchtsaft an die Bar einladen lassen. Natürlich konnte sie dort – schließlich trugen beide Bademäntel – nicht feststellen, was für einen Kleidungsgeschmack er hatte. Sonst hätte sich ihr Frühwarnsystem vielleicht gemeldet. Aber als sie später bemerkte, dass Konrad einen unschönen Hang zu auberginefarbenen Oberhemden und Cowboystiefeln hatte, war es zu spät.

Es ist ja keinesfalls so, dass Ibo einen guten Geschmack hat. Das hindert sie aber nicht, sich an modischen Entgleisungen anderer vehement zu stören. Sie war entsetzt von seiner Garderobe, als sie ihn zum ersten Mal angezogen sah. Und, wie sich schnell herausstellte, war das nicht das Einzige, was sie störte.

Konrad und Ibo passten in keiner Beziehung zusammen. Ibo liebt Spaghetti. Konrad bevorzugte Ravioli. Ibo mag gerne – seltsam für eine Frau – Filme, in denen sehr viel Blut vorkommt und sehr viele Tote mitspielen. Konrad mochte Komödien. Ibo ist unordentlich, Konrad nicht. Konrad mochte Ingo Appelt, Ibo nicht. Konrad schlief lange, Ibo ist ein Morgenmensch. Es klappte hinten und vorne nicht, und trotzdem herrschte eine seltsame und unerklärliche Anziehungskraft zwischen ihnen.

«Ich bin fasziniert von ihm, weil er so anders ist», hatte Ibo anfangs gesagt. Aber nach kurzer Zeit ging ihr seine Andersartigkeit zunehmend auf den Wecker. Eigentlich – wenn man mal ausnahmsweise versucht, fair zu sein – konnte Konrad ja nichts dafür, dass er andere Vorlieben hatte als Ibo. Dass man nicht zueinander passt, kann passieren, und schuld daran ist keiner. Aber das sah Ingeborg anders.

«Weiß du, was er gestern gemacht hat? Er hat mitten am Tag die Rollläden runtergelassen, um Formel eins zu gucken. Er meinte, die Sonne würde ihn stören. Er könne das Rennen nicht genießen, wenn er ständig daran erinnert werde, dass draußen schönes Wetter sei.»

«Das verstehe ich ganz gut. Ich gucke auch am liebsten Fernsehen, wenn es draußen eklig ist.»

Ich versuchte zu schlichten. Nicht so ganz mein Metier.

«Natürlich. Aber der Unterschied ist eben, dass du an einem herrlichen Hochsommertag nicht fernguckst. Das ist doch nicht normal. Fünfundzwanzig Grad im Schatten, und das in Hamburg. Ein Jahrhundertereignis. Andere Paare fahren Kanu, liegen an der Alster, gehen ins Freibad oder sitzen an der Elbe und trinken Weinschorle. Und was macht Konrad? Die Rollläden runter. Ich glaub, ich spinne.»

«So ist er nun mal.» Das klingt banal, ist es aber nicht. Manchmal muss man einsehen, dass man an der Grenze dessen ist, was man durch Taktik und Pädagogik erreichen kann.

«Was soll das denn heißen? Als würdest du nicht ständig versuchen, Philipp zu verändern. Du bist doch die Expertin im Männer-nicht-so-nehmen-wie-sie-sind!»

Das stimmte natürlich. Aber im Gegensatz zu Ibo hatte ich einige schöne Erfolge aufzuweisen.

«Es gibt Dinge, die akzeptiert man, oder man lässt es. Da hat es keinen Zweck, ständig rumzumeckern. Wenn du einen Mann willst, der bei schönem Wetter mit dir Kanu fährt, musst du dir halt einen anderen suchen.»

«Aber ich mag ihn wirklich gerne.»

«Manchmal reicht das nicht. Es gibt Paare, die lieben sich über alles und können trotzdem nicht zusammen sein, weil der eine nachts bei geschlossenem und der andere bei offenem Fenster schlafen will. Manchmal kann man eben keine Kompromisse machen. Ein Fenster ist immer entweder offen oder zu.»

Das, fand ich, hatte ich philosophisch und dennoch lebenspraktisch formuliert. Ich lehnte mich zurück, nahm einen tiefen Zug und versuchte, den Rauch so intellektuell wie möglich in die Weite des Raumes zu entlassen.

Ibo seufzte. «Also gut. Ich geb ihm noch eine Chance. Wir wollen übers Wochenende an die Ostsee fahren. Mal sehen, wie das wird.»

«Aber Ibo, du musst mir eins versprechen.» Ich guckte sie streng an. «Meckern ist verboten. Nimm es dir ganz fest vor: Diesmal nörgelst du nicht an Konrad rum. Das verunsichert ihn bloß und macht ihn nur noch schlechter, als du ihn ohnehin schon findest.»

Ibo schaute mich nachdenklich an.

«Du meinst, ich soll ihn ignorieren?»

Unnötig zu sagen, dass die beiden kein Paar mehr sind.

16:45

Muss relativ dringend auf Toilette. Dabei fällt mir endlich ein guter Grund ein, warum es sich lohnt, Single zu sein: Man braucht sich nicht ständig zu rechtfertigen, warum man schon wieder aufs Klo muss. Und warum man «Schlaflos in Seattle» im ZDF statt «Die Wildgänse kommen» auf Kabel Eins sehen möchte. Und das, obwohl man «Schlaflos in Seattle» im Original auf Video hat und die entscheidenden Stellen auswendig zitieren kann. Tom Hanks: «Mit ihr war der Schnee immer ein bisschen weißer, wenn Sie verstehen, was ich meine.»

Und man muss auch nicht erklären, warum man das Gefühl hat, auf Diät zu sein, wenn man den ganzen Tag über nichts und dann am Abend innerhalb einer Stunde eine Tüte Chips und dann noch zwei Balisto-Müsli-Riegel isst.

Es ist herrlich, Single zu sein, weil Männer total unsensibel sind, nichts von Frauen verstehen, uns gar nicht richtig wertzuschätzen wissen und noch dazu zu blöde sind, zu kapieren, dass Frauen nicht alleine gelassen werden wollen, wenn sie sich schluchzend an die Stirn greifen, mit schleppendem Schritt ins Schlafzimmer wanken und dabei tonlos hauchen: «Ich muss jetzt alleine sein.»

Ganz schlimm ist, wenn man sich mühsam zurückzieht und das noch nicht mal bemerkt wird. Da liegst du jammernd und dekorativ übers Bett gegossen, hast die Tür nur angelehnt, damit dein Wehklagen in jede Ritze der Wohnung dringt – und, was is? Nix is. Dein Kerl nutzt die Gelegenheit, um ungestört auf Premiere das Spiel Borussia Dortmund gegen FC Bayern zu glotzen. Ich sage es euch, alles rohe Klötze.

Wenn Frauen sich zurückziehen, wollen sie beachtet werden. Das ist doch nicht so schwer zu verstehen. Deswegen lassen Frauen ihre Männer auch nur sehr selten in Ruhe. Sie sind dazu einfach nicht in der Lage – es sei denn, eine Freundin hat gerade angerufen oder es hat just ein Film mit dem jungen Cary Grant begonnen.

Frauen gehen von sich aus. Sie denken partnerschaftlich: Ein Mann, der sich schmollend zurückzieht, braucht Aufmerksamkeit. Ein Mann, der den Raum verlässt und dabei sagt: «Es hat ja doch keinen Zweck, mit dir zu reden, lass uns das Gespräch einfach beenden», der schreit, aus unserer Sicht, stumm nach unserer Hilfe. Ein Mann, der nicht reden will, braucht unseren emotionalen Beistand. Wir nehmen es in Kauf, dass wir deswegen als Nervensägen und unerträglich lästige Ziegen beschimpft werden.

Freunde, versteht doch: Wir können keine Ruhe geben, denn wir wissen, wie schädlich Ruhe ist. Wir können Gespräche nicht mit einem Misston beenden, weil der falsche Klang in unserem inneren Ohr zu einer Kakophonie des Grauens anschwillt.

Manchmal frage ich mich, wie das Leben wäre, wie sich unsere Gesellschaft verändern würde, wenn Männer und Frauen sich verstehen würden. Es gäbe einen drastischen Anstieg der Arbeitslosigkeit. All die Paartherapeuten und Verfasser von Beratungsliteratur müssten umsatteln. Viele Frauenfreundschaften würden am Mangel interessanter Gesprächsthemen elendig zugrunde gehen. Die Telekom würde Pleite machen. Der Alkohol- und Zigarettenkonsum ginge rapide zurück. Floristen und Juweliere würden Einbußen bis zu fünfzig Prozent hinnehmen müssen. Nie mehr Blumen oder Klunker zur Versöhnung. Weil, wer sich nicht streitet, kann sich auch nicht vertragen. Und nicht zuletzt würde die ganze Diätindustrie mit ihren Schlankheitspillen, Eiweißgetränken, Büchern, Selbsthilfegruppen und Fettverbrennungsanlagen in sich zusammenbrechen, weil Frauen kapieren würden, dass Männer sich nach dünnen Frauen zwar umdrehen, aber die runden Frauen heiraten.

Wir würden einander verstehen – und hätten uns womöglich nichts mehr zu sagen.

Ich wage die These: Das Leben wäre nicht mehr lebenswert

und unsere Gesellschaft dem Untergang geweiht, wenn Männer und Frauen sich verstehen würden.

Aber solange sich die Menschheit in zwei Gruppen teilt – in die, die auf der Suche sind, und die, die sich mit dem herumplagen, was sie gefunden haben –, so lange dreht sich die Welt. Denn allein darum, Freunde, wenn wir ehrlich sind, dreht sich die Welt.

16:48

Aber ich, ich will nicht wieder auf der Suche sein. Nee, echt nicht.

Bin allein stehend im Stau und muss superdringend aufs Klo. Habe Burgis Kassette zur Frisur eingelegt. Zunächst versucht mich Gloria Gaynor aufzuheitern:

I am what I am
and what I am
needs no excuses!

Dann versuchen es die Village People:

Go west
life is peaceful there.

Und schließlich das ultraharte Wer-jetzt-nicht-mitsingt-hat-was-an-den-Ohren-Lied von Dschingis Khan:

Dsching, Dsching, Dschingiskhan
Auf Brüder! – Sauft Brüder! – Rauft Brüder! –
Immer wieder!
Lasst noch Wodka holen
Hohohoho
Denn wir sind Mongolen
Hahahaha
Und der Teufel kriegt uns früh genug!

Unter normalen Umständen gäbe es jetzt für mich kein Halten mehr. Aber unter diesen Umständen stimmt mich das ausgelassene Liedgut noch trauriger und wirkt zudem noch stimulierend auf meine gespannte Blase.

16:57

Habe jetzt endgültig die Blase voll, wenn ich mal so sagen darf. Habe in den letzten zehn Minuten vielleicht fünfzig Meter zurückgelegt. Wenn das so weitergeht, verpasse ich heute Abend die Bambi-Verleihung im Fernsehen. Wird live ab Viertel nach acht übertragen. Das will ich mir auf keinen Fall entgehen lassen. So viel Masochismus muss sein. Wie die Leute über meinen roten Teppich schreiten. Nicht wissend, dass ich ihnen allen die Show stehlen würde, wenn ich denn da wäre. Will die stammelnden Dankesreden der Preisträger hören und die Schwenks der Kameras in den Zuschauerraum mit Argusaugen verfolgen. Dort sitzt dann irgendwo, ziemlich weit vorne wegen seiner guten Kontakte zur blöden Branche, Philipp von Bülow. Und auch, wenn ich mich nicht mehr im Entferntesten für ihn und seinen Werdegang interessiere: Ich möchte dennoch zu gern wissen, was für einen Anzug er heute Abend trägt.

Ich komme neben einem Schild zu stehen: Raststätte Holmmoor fünf Kilometer.

Na denn, denke ich. Es muss sein, denn ich muss mal. Und zu verlieren habe ich ja eh nichts mehr.

Ich fahre auf die Standspur, schalte das Warnblinklicht an und gebe Gas.

Natürlich wusste ich da noch nicht, dass das einer jener Momente war, in denen das Leben eine entscheidende Wendung nimmt. Einer jener Momente, bei denen man sich später immer wieder fragt: «Was wäre geschehen, wenn ich mich damals im Spätsommer um kurz vor fünf nicht für die Standspur entschieden hätte?»

Es klingt nicht sehr pathetisch, und wenn das nicht das Leben von Amelie Puppe Sturm wäre, sondern ein Kinofilm mit Cameron Diaz, würde sich der Regisseur etwas Appetitlicheres und Anrührenderes ausgedacht haben – aber es ist nun mal so: Mein Schicksal war die Blasenschwäche.

Mein Leben hat sich grundlegend verändert, weil ich dringend aufs Klo musste.

17:01

Ich schaue in den Toiletten-Spiegel der Raststätte Holmmoor. Die Krise steht mir. Das Gesicht schmal, als würde ich mir, uralter Model-Trick, von innen in die Wangen beißen. Sylt-Bräune im Gesicht, ein paar Sommersprossen auf der Nase. Ich sehe ernster aus als sonst, erwachsener. Nicht mehr wie das nette, harmlose Ding, das von allen gemocht wird.

Seien wir doch ehrlich: Du wirst deshalb von allen gemocht, weil sich die Leute nicht vorstellen können, dass du ihnen gefährlich wirst. Oder weil du dicker bist als sie. Oder weil dein Chef hinter deinem Rücken schlecht über dich redet. Oder weil alle außer dir wissen, dass dein Mann dich betrügt. Du bist anderen sympathisch, weil sie sich dir überlegen fühlen. Ich habe mich schon früher, als ich noch im Flachgewebe tätig war, immer ein bisschen darüber geärgert, dass über mich nicht getratscht wurde.

Nie gab es üble Nachrede, nie ein gemeines Gerücht, das ich entkräften musste. Ich habe das immer als persönliche Herabsetzung empfunden. Ein einziges Mal hörte ich, dass mich eine Kollegin aus dem Warenlager für eine arrogante Pute hielt. Davon habe ich lange gezehrt.

Mein Spiegelbild versucht zu lächeln. Ist gutes Aussehen so wichtig? Sind schöne Menschen glücklicher? Glücklicher als ich? Das ist nun wirklich keine Kunst. Mir fällt der lustige Wolfgang Joop ein. Der hatte Philipp, mich und vier Models ins Berliner Sterne-Restaurant Vau ausgeführt, weil Philipp den Vertrag für Joops ersten Kinofilm ausgehandelt hatte. Ein Film, in dem übrigens auch Bente Johannson eine kleine Rolle hatte. Als ich von Philipp erfuhr, Joop habe sich abfällig über Bentes mangelndes Talent, ihre fehlende Ausstrahlung und ihre affektierte Art geäußert, habe ich den Mann sofort in mein Herz geschlossen. Mich mochte er auf Anhieb. Wirklich ein großartiger Menschenkenner, der Herr Joop.

Der Abend im Vau kann für ihn nicht sonderlich teuer gewesen sein. Er selbst kam kaum zum Essen, weil er ständig redete. Die vier Models behaupteten alle, sie hätten schon gegessen – was natürlich gelogen war. Ich behauptete, ich hätte schon gegessen – was natürlich auch gelogen war. Aber der Anblick von vier weiblichen Zahnstochern war mir auf den leeren Magen und die vollen Oberschenkel geschlagen.

Bloß Philipp aß mit großem Appetit, und wir lauschten Joops Ausführungen über innere Werte und äußere Schönheit, die mit der Feststellung endeten: «Wer ist denn schon an innerer Schönheit interessiert? Wir wichsen doch nicht auf Röntgenbilder!»

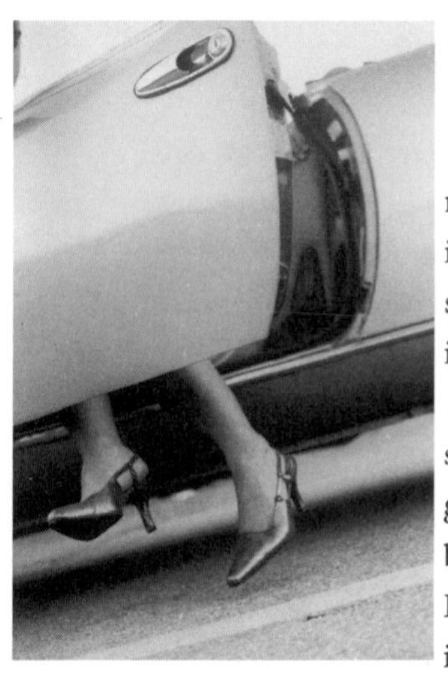

Und obwohl ich ganz objektiv die am wenigsten schöne Frau in der Runde war, habe ich mich als Einzige kaputtgelacht. Und das sprach dann doch irgendwie sehr für meine inneren Werte.

Ich ziehe mir die Lippen nach. Burgis Frisur hat aus meinem Hals einen langen Hals gemacht, und auf meinen Unterarmen haben sich die ersten Härchen blond gefärbt. Eigentlich gefalle ich mir. Aber freuen kann ich mich nicht darüber. Tut eher weh. Weil, was soll's? Wo ich doch dem nicht gut genug gefalle, der trotz allem mir gefällt und dem ich gefallen will.

Ein doppelter Espresso wäre jetzt nicht verkehrt und vielleicht ein kleiner Salat. Ohne Dressing. Muss die Zeit nutzen, in der mir der Kummer auf den Magen schlägt. Wenn ich schon den Rest meines Lebens unglücklich sein werde, so will ich dabei zumindest eine gute Figur haben. Die Klofrau wünscht mir einen schönen Sonntag. Zu spät.

17:08

Das Restaurant ist leer, die Frau hinter der Kasse mürrisch, der Salat welk und meine nackten Kniekehlen kleben an der Kunstlederbank fest. Trotzdem, ich mag Autobahn-Raststätten. Hier ist jeder fremd, und das schweißt zusammen.

Manchmal ist es ja so, dass man etwas minutenlang anschaut, ohne es zu sehen. Ich starre einen «Bild am Sonntag»-Leser zwei Tische vor mir an, aber ich sehe Philipp von Bülow, wie er versucht, mir eine Lasagne zuzubereiten. «Lasagne ist mein Spezialgericht», hatte er zu Beginn unserer Beziehung behauptet. Davon konnte aber gar keine Rede sein. Ich hatte überlegt, ob ich ihm jetzt endlich zu seinem nächsten Geburtstag einen Kochkurs schenke. Da ich selbst nicht gut koche, wir aber gerne essen ... Ach Quatsch. Ich brauche mir ja nicht mehr den Kopf darüber zu zerbrechen. Ist doch toll. Nie wieder diese Panik, sich irgendwas total Besonderes ausdenken zu müssen, weil man blöderweise zu seinem letzten Geburtstag eine gute Idee hatte und beim nächsten Mal sein eigenes Niveau nicht unterschreiten möchte.

Langsam stellt sich mein Blick wieder auf Gegenwart um. Ich versuche, die Schlagzeile der «BamS» zu entziffern. Ich kneife die Augen zusammen, lehne mich ein wenig nach vorn. Jetzt kann ich's lesen. Dreimal lese ich die verdammte Zeile. Dreimal. Bis ich endlich begreife, was da steht:

TV-STAR BENTE JOHANNSON UND IHR BERLINER PROMI-ANWALT: «JA, ES IST LIEBE!»

Ich setze meine Sonnenbrille auf. Ich nehme meinen Hund an die Leine. Ich gehe Richtung Auto. Alles wie in Zeitlupe. Ich beobachte mich selbst dabei und frage mich – ganz nüchtern, ganz sachlich – ob ich es wohl noch bis zum Auto schaffe. Ich schaffe es. Hebe Marple auf den Beifahrersitz, lege ihren Wassernapf auf die Rückbank. Schnalle mich an.

Ich habe keinen Zweifel daran, was jetzt zu tun ist.

19:05

Ich glaube, es gibt kein Gefühl, das ich in den letzten zweieinhalb Stunden nicht ausgiebig gefühlt habe. Ich rede nicht von Glück, Stolz, Liebe usw., sondern von Hass, Wut, Trauer, Scham, Verzweiflung, Mordgelüste. All das habe ich im Minutentakt durchgemacht. Wieder und wieder. Und zwar alles vom Feinsten.

An Trauerarbeit im Sinne von Verdrängung war unter diesen Umständen natürlich nicht mehr zu denken.

Seit achtunddreißig Stunden bin ich auf der Flucht. Auf der Flucht vor meinen Gefühlen, vor meinen Gedanken, vor meinem Kummer. Vor der Wahrheit. Mit der Hoffnung, dass, wenn man sich nur lange genug vom Schmerz ablenkt, die Wunde irgendwann von selbst aufhört, wehzutun. Aber es hat nicht funktioniert. Nicht wirklich. Ich halte mein Gesicht in den Fahrtwind und frage mich, ob ich jemals wieder irgendetwas genießen werde. Burgis Kassette «Tränenschocker für die Stunde der Not» gibt mir den Rest. Wyclef Jean und Mary J. Blige rufen um Hilfe:

Would someone please call 911
tell them I just got shot down!

«Nachricht liegt vor.» Damit hatte alles begonnen. Mit einer Nachricht, die nicht für mich bestimmt war. Mit meiner Neugier, meiner Schnüffelei. Ich höre wieder die Stimme von Bente Johannson aus dem Handy kommen. Jedes Wort ihres schwedisch-amerikanischen Au-pair-Singsangs ist in meinem Gehirn eingemeißelt:

«Hi, Phil, Darling, hier ist Bente. Ich habe die ganze Nacht hin und her überlegt, aber jetzt habe ich mich entschieden. Endgültig.

Ich mache das Versteckspiel nicht länger mit. Sie muss es endlich erfahren. Und wenn's sein muss von mir oder aus der Zeitung. Believe me: Ich tauge nicht zur Geliebten. Ich will alles. Und das war von Anfang an klar. Ich verlange jetzt ein klares Bekenntnis. Das war es, was ich dir sagen wollte. Bye, Honey.»

Bye, bye. Jetzt hat die Schlampe ihre Drohung wahr gemacht. Hat Philipp und mich vor vollendete Tatsachen gestellt und ihr Geständnis exklusiv in der «Bild am Sonntag» abgelegt.

Und wenn ich Philipps Mailbox nicht abgehört hätte? Wäre dann alles anders gekommen? Habe ich das Drama erst heraufbeschworen durch meine dramatische Reaktion? Was, wenn ich Ruhe bewahrt und ihn zur Rede gestellt hätte? Hätte ich durch Taktik das Schicksal wenden können?

Ich weiß es nicht. Eigentlich war ich immer der Meinung, dass man durch Taktik auf Umwegen immer nur da ankommt, wo man ohne Taktik auch – bloß schneller – angekommen wäre. Und Ruhe zu bewahren liegt mir nicht. Nicht, wenn es um mich, nicht wenn es um meine Liebe geht.

Habe ich zu unüberlegt das Feld geräumt? Hätte er sich für mich entschieden, wenn er mir bei der Entscheidung gegen mich in die Augen hätte schauen müssen? Aber hätte ich ihn denn überhaupt behalten wollen? Nach alldem? Ist Verzeihen eine Tugend?

Die Frage stellt sich jetzt nicht mehr. Zu spät. Habe nicht gekämpft. Und verloren.

And he shot me through my soul
feel my body getting cold.

Phillipp wusste ja nichts von der Nachricht. Nichts vom Ultimatum seiner Geliebten. Nichts vom heraufziehenden Unheil.

Philipp von Bülow wähnte sich in komfortabler Sicherheit. Ein schwedisches Model wochentags als Geliebte und eine kuriose, weil so verdammt natürliche Puppe für die Wochenenden. Und dann noch ab und zu mit beiden Frauen gleichzeitig essen gehen für den ganz besonderen erotischen Kick. Pfui, Philipp von Bülow!

And the bullet's in my heart.

Ausgerechnet jetzt fahre ich an der Ausfahrt Herzsprung vorbei.

Und mir zerbricht das Herz. Als wäre es nicht schon längst zerbrochen.

19:15

Kummer ist schädlich für den, der bekümmert ist. Aber Wut ist schädlich für den, auf den man wütend ist. Und ich war noch nie, nie, nie in meinem Leben so wütend wie jetzt. Schande über dich, Philipp von Bülow und deine skandinavische Pimper-Perle! Zu wissen, dass man betrogen wurde, ist schlimm genug. Aber dieses Wissen mit einer breiten Öffentlichkeit zu teilen, das ist etwas ganz anderes. Das ist eine Schmach, die nicht ungesühnt bleiben darf.

Macht euch auf was gefasst! Denn Amelie Puppe Sturm ist kurz vor Berlin. Sie ist wütend. Und sie ist absolut bereit, sich und euch vor sieben Millionen Fernsehzuschauern lächerlich zu machen. Denn wie kann man euch besser verletzen, als euch vor euresgleichen zu blamieren. Ihr Promi-Pissnelken. Ihr Wichtigtuer. Ihr Fernseh-Fratzen. Ihr selbstverliebten Sackgesichter.

Ich habe nie dazugehört. War immer zu dick, zu klein, zu unwichtig, zu nett. Ich habe keinen Ruf zu verlieren – aber Selbstachtung zu gewinnen. Ich werde besser schlafen, wenn ihr vor Scham keinen Schlaf findet. Ich habe noch keinen genauen Plan, aber nehmt euch in Acht. Fürchtet euch fürchterlich! Diese Bambi-Verleihung werdet ihr nie vergessen!

19:25

Bin in Gedanken bei meinen Rachefantasien. Sehe faule Tomaten fliegen, formuliere üble Zwischenrufe, visualisiere farbintensive Getränke auf einer hellen Abendrobe.

Fast vergesse ich darüber das Wesentliche: Was ziehe ich an? Wie komme ich ohne Einladung an den Security-Leuten vorbei? Und schaffe ich es überhaupt noch rechtzeitig zur Verleihung?

Spreeradio 105,5 berichtet live vom Roten Teppich vor dem Schauspielhaus am Gendarmenmarkt:

«Zur Bambi-Verleihung haben sich in Berlin Stars wie Tom Cruise, Angelina Jolie und Robbie Williams eingefunden. Hier, liebe Zuhörer, kommt Frauke Ludowig, die Moderatorin des heutigen Abends ... Hallo, Frauke. Wie geht es Ihnen so kurz vor Ihrem großen Auftritt?»

«Gut. Danke.»

«Äh, das war Frauke Ludowig live bei 105,5. Und da kommt jetzt in einem gewagten Schlauchkleid Bente Johannson. Sie ist die Skandalfrau des Abends. Die Nominierung ihrer Sendung Der Eisprung deines Lebens für das innovativste Fernsehformat des Jahres hat für heftige Debatten und Boykott-Drohungen gesorgt. Außerdem hat Bente heute ihre Liebesbeziehung zu einem Berliner Prominenten-Anwalt öffentlich gemacht ... Guten Abend,

Frau Johannson! Wie schätzen Sie Ihre Chancen ein, heute einen Bambi zu gewinnen?»

«Ich bin sehr zuversichtlich, denn mein Team und ich haben sehr hart gearbeitet.»

«Ist Ihr neuer Freund auch da?»

«Natürlich. Er drückt mir die Daumen.»

«Danke, Frau Johannson – und damit erst mal zurück ins Studio.»

Das hast du nun davon, mein Bülowbärchen: «Berliner Prominenten-Anwalt», «der neue Freund». An meiner Seite konntest du glänzen, an ihrer Seite hast du nicht mal mehr einen eigenen Namen. Mein Mitleid, Schätzchen, hält sich in Grenzen.

19:45

Kennst du das? Wenn du denkst, du wirst in deinem Leben niemals wieder etwas essen können? Und du kannst dich nicht mal freuen über die dadurch eingesparten Kalorien?

Kennst du das, wenn nichts, was du liebst, was dich glücklich macht, was du schön findest, dich erreicht, dich trösten kann? Die sattgelben Rapsfelder neben der Autobahn, die aussehen wie Modeschmuck im tiefblauen Dekolleté des Himmels. Alles ist friedlich, lind und sommersanft duftend, und du weißt ganz genau, dass das Glück dich für immer verlassen hat. Der Gedanke, die Liebe verloren zu haben, diese einzige, große, unendliche. Die, auf die jeder so sehnsüchtig wartet.

Ich bin auf der Stadtautobahn. Ich habe mich immer wieder gefreut auf Berlin. Auf diese großspurige Stadt. Heute macht mir Berlin Angst. Als könnte ich darin untergehen.

Freundinnen, ihr wisst es alle. Was soll ich euch sagen? Irgendwann habt ihr euch genauso gefühlt. Und immer wieder, immer wieder gedacht, dass es nicht noch schlimmer werden kann, das es niemals vorbeigeht. Aber: Es ist vorbeigegangen. Und: Es ist noch schlimmer geworden.

20:05

In Amerika, habe ich gelesen, gibt es ja die seltsamsten Gesetze. In Memphis, Tennessee, dürfen Frauen nur Auto fahren, wenn ein Mann mit einer roten Warnflagge vor dem Auto herläuft. Diesen Paragraphen, denke ich gerade, sollte man auch in Deutschland einführen. Vor mir parkt eine Frau nicht ein. Sie versucht bloß immer wieder, ihren fleischfarbenen Opel Astra in eine viel zu kleine Lücke zu zwängen. Ich gebe zu, dass mein regelmäßiges Hupen sie vielleicht noch nervöser macht. Frauen sind sowieso immer nervös, wenn sie ihren Wagen abstellen. Dabei will ich ihr nur signalisieren:

«Hey, Mädchen, da passt du nicht rein! Fahr weiter! Ich hab's eilig und stehe in einer schmalen Einbahnstraße hinter dir. Kann nicht vorbei und bin wirklich nicht besonders gut gelaunt. Also: GIB ES ENDLICH AUF!»

Und das tut sie schließlich. Sie schaltet die Warnblinker ein, steigt aus, lächelt entschuldigend in meine Richtung und beginnt, mehrere, offensichtlich schwere Kisten aus dem Kofferraum zu hieven.

Ich versuche, ruhig zu bleiben.

Es gelingt mir nicht. ICH MUSS VERDAMMT NOCHMAL ZU DIESER PREISVERLEIHUNG!

Ich weiß, jede meiner Freundinnen, riefe ich sie jetzt an, würde mir dringend davon abraten. Würde es mir verbieten. Mich auf

Knien anflehen. Aber es gibt so Sachen im Leben einer Frau, die muss sie tun, auch wenn alle Freundinnen dagegen sind.

Ich will die beiden zusammen sehen! Bente auf der Bühne, Philipp irgendwo in einer der vorderen Reihen. Und nachher, Arm in Arm, auf der Party. Sie an meinem Platz. Der Platz ist noch warm. Ich muss das sehen. Es wird wehtun. Keine Ahnung, was ich tun werde. Vielleicht werde ich kriminell. Wer von beiden hat es eigentlich eher verdient, meinem Verbrechen zum Opfer zu fallen? Bin mir nicht ganz schlüssig. Werde mich ganz auf meinen Instinkt verlassen.

«He! Wenn du nicht sofort deine Scheiß-Karre aus dem Weg fährst, mach ich deine Kinder zu Waisen!»

Die Opel-Frau glotzt mich erschrocken an. Ihr ist sofort klar, dass mit mir nicht zu spaßen ist. Sie klappt eilig den Kofferraumdeckel zu, springt hinters Steuer und zockelt los – so schnell, wie es mit angezogener Handbremse eben möglich ist.

Das gefällt mir, diese Ausstrahlung von Brutalität, die schnellen und unbedingten Gehorsam erfordert. Hat was. Sollte öfter betrogen werden und aus der Zeitung mehr darüber erfahren. Das verschlechtert den Charakter ungemein. Bin zum Fürchten. Fürchte ich.

20:12

Zu spät! Zu spät! Fahre mit neunzig über die Straße des 17. Juni auf das Brandenburger Tor zu.

Mir fällt ein, dass ich kein Abendkleid habe. Nur so ein schlichtes, schwarzes Sommerhängerchen, das zerknittert im Kofferraum liegt.

20:39

Schauspielhaus. Damentoilette.

Bin nervös. Verständlich. Tusche mir die Wimpern mit zittriger Hand. Jahrelang hatte ich nach einer Wimperntusche gesucht, mit der ich ohne Schmierereien zurechtkomme. Als ich sie gefunden hatte – Nearly black von Oil of Olâz – machte die Firma Pleite, und mein Leidensweg begann von neuem. Probleme habe ich auch mit Lippenkonturstiften, mit denen ich meist weit übers Ziel hinausschieße. In jedem Frauendasein gibt es Schönheitsprodukte, bei denen die Zusammenarbeit nie so recht klappen will.

Manchmal frage ich mich zum Beispiel, wie viel Geld ich in meinem Leben für Seidenstrümpfe ausgegeben habe, die mir oft bereits beim ersten Anziehen unter den Händen verenden. Gerne auch dann, wenn ich kein Ersatzpaar mehr habe und auf einen todschicken Stehempfang eingeladen bin. Manchmal habe ich den Eindruck, Seidenstrümpfe kommen schon mit Laufmasche auf die Welt.

Ähnlich unerquicklich ist meine Beziehung zu Haarwachs und Lidschatten. Mir fehlt einfach das Händchen für die angemessene Dosierung. Mit Wachs im Haar sehe ich aus, als hätte ich meinen Kopf kurz in eine Fritteuse mit altem Fett getaucht. Und Lidschatten, egal in welcher Farbe, wirkt auf meinen Lidern immer wie die Folge einer Prügelei, die zu meinen Ungunsten ausgegangen ist.

Neben mir zieht sich Sandra Maischberger die Lippen nach. Sie kommt sehr gut klar mit ihrem Konturstift. Vielleicht hat sie stattdessen Probleme mit Pinzetten, denn ihre Augenbrauen scheinen mir nicht vorbildlich gezupft zu sein. Na ja, so hat jeder sein Päckchen zu tragen. Ist ja nur gerecht.

Größer als ich ist die jedenfalls nicht. Das macht sie sympathisch. Aber wahrscheinlich ist sie viel klüger als ich. Das macht sie wiederum unsympathisch. Frauen, die gut aussehen und sich fehlerfrei mit Politikern unterhalten können, machen mir Angst. Fühle mich in ihrer Gegenwart unbehaglich, erinnern sie mich doch daran, dass ich eigentlich einen Englisch-Kurs für Fortgeschrittene machen und jeden Tag das Feuilleton der F.A.Z. lesen wollte. Ich denke oft, dass ich abends mal wieder was für meine Bildung tun sollte. Aber dann kommt eben doch immer wieder was Gutes im Fernsehen.

Frau Maischberger schaut mich etwas befremdet an, als ich meinen Lockenstab auspacke, um meine Haare in eine Weltstadt-Frisur zu verwandeln. Wahrscheinlich glaubt sie, ich sei total auf mein Äußeres fixiert und eine Schande für alle emanzipierten Frauen. Sie haben ja so Recht, Frau Maischberger. Mit Sicherheit legen Sie wahnsinnig viel Wert darauf, Ihr eigenes Geld zu verdienen, ein von Ihnen bezahltes Auto zu fahren und einen Mann zu haben, der sich den Mutterschaftsurlaub mit Ihnen teilt. Sie sind das, was man eine unabhängige Frau nennt. Ich bin das nicht. Ich bin abhängig. Und ich bin es gern. Ich brauche jemanden, der mich liebt, obschon ich so bin, wie ich bin. Jemanden, der mich tröstet und Geduld mit mir hat.

Ich möchte dem, den ich liebe, sagen dürfen «Ich brauche dich», ohne dass er Platzangst bekommt und sich in eine andere Stadt versetzen lässt. Nein, ich bin nicht unabhängig. Und vielleicht bin ich gerade deshalb viel emanzipierter als alle Emanzen zusammengenommen. Weil ich aufgehört habe, so zu tun, als sei ich unabhängig.

Ich zücke den Lockenstab wie ein Schwert im Kampf für meine Abhängigkeit. Sandra Maischberger geht.

Ich atme tief durch und versuche, mich zu beruhigen. Es ist schierer Zufall, dass ich es überhaupt bis hierher geschafft habe.

Um Viertel nach acht hatte ich im absoluten Halteverbot geparkt, ein paar Sachen aus dem Kofferraum zusammengerafft, und natürlich meine kleine Miss Marple an die Leine genommen.

Ich rannte über den verlassenen Roten Teppich. Marple läuft nicht gerne so schnell, aber ich konnte in dieser Situation keine Rücksicht auf sie nehmen. Die Verleihung hatte schon begonnen, und den Auftritt von Bente Schweinenase Johannson wollte ich, sollte sie tatsächlich gewinnen, auf keinen Fall verpassen. Ich würde ihr den Spaß an Bambi und an Herrn von Bülow schon verderben.

Als ich ihn sah, wusste ich sofort, dass er Schwierigkeiten machen würde. Der Sicherheitsmann schaute mich sehr misstrauisch an, trug ich doch immer noch meine hellblauen Strandbermudas und mein T-Shirt mit den Pril-Blumen.

«Ich bin eingeladen», sagte ich so überzeugend wie möglich.

«Dann haben Sie sicher auch eine Einladung.»

«Im Prinzip schon, aber ich komme direkt vom Flieger aus Sylt, und die Einladung liegt auf dem Schreibtisch meines Hauses am Schlachtensee.»

«Kein Einlass ohne Einladung.»

«Ich bin mit einem der Preisträger verlobt.»

«Das habe ich heute schon fünfmal gehört.» Der zwei Meter große Muskelmann schaute mich so desinteressiert an, als könne er mich von da oben kaum erkennen. «Hau ab, Mädchen. Ich sag's nicht nochmal.»

Bitte nicht! Nicht so kurz vor dem Ziel! Ich will jetzt sofort meinen großen, letzten Auftritt haben! Mein Debüt als Racheengel und Furie. Soll ich an einem stiernackigen Volltrottel scheitern, der sich auf meine Kosten mächtig fühlt? Ich war den Tränen nahe, als sich eine schwere Hand von hinten auf meine Schulter legte und mich beiseite schob.

«Lass mich mal vorbei, Kleine.»

Ich drehte mich um. Hinter mir stand – an seiner dunklen Haut und der getönten Tropfen-Brille leicht zu erkennen – Negerkalle Schwensen, ehemaliger Hamburger Zuhälter und vorbestrafter Rotlichtkönig.

Als er vor Jahren angeschossen wurde, hatte er, auf der Trage der Rettungssanitäter liegend, das Victory-Zeichen gemacht und sich geweigert, seine Brille abzunehmen.

Mit bedrohlich leiser Stimme sagte Negerkalle zu dem Sicherheitsmann:

«Kennst du mich?»

«Mmmmh.»

«Willst du einen ruhigen Abend haben?»

«Joooh.»

«Dann lass mich durch. Und die Kleine auch. Wenn nicht, mach ich dir'n neues Gesicht.»

Der Wachmann trat zur Seite und schaute mich so böse an, als sei ich schuld an seiner Demütigung. Ich lächelte ihn an, so spöttisch, als könne ich auf ihn herabschauen. Dann schob mich Negerkalle durch den Eingang, wünschte mir noch einen angenehmen Aufenthalt und verschwand Richtung Zuschauerraum. Ich schaute ihm verdutzt, erleichtert und sehr dankbar nach und suchte erstmal die Toilette.

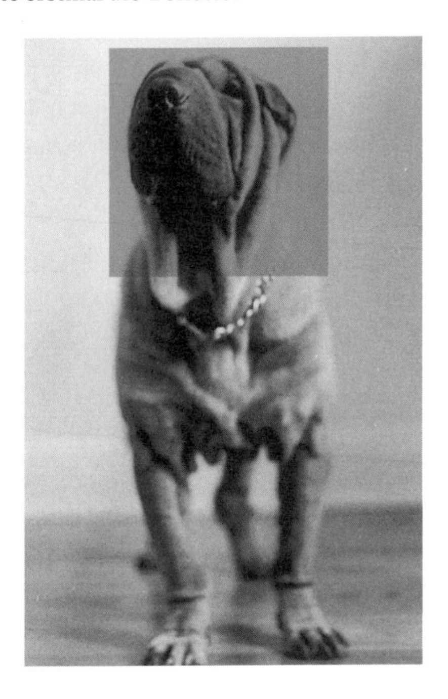

Marple schnüffelte aufgeregt, als suche sie ein feines Plätzchen, um ihr Geschäft zu verrichten. Ich nahm an, dass Hunde in einem Schauspielhaus nicht erlaubt sind, aber es schien mir besser, nicht nochmal umzukehren und den Sicherheitsmann danach zu fragen.

Ich werfe einen letzten Blick in den Spiegel. Dafür, dass es sich hier um ein Not-Outfit handelt, kann ich zufrieden sein. Philipp würde sagen, ich sähe «natürlich» aus. Nun, er hätte Recht: schwarzes Kleid mit Spaghettiträgern, goldene Sandaletten mit Pfennigabsätzen, frische Sommersprossen auf der Nase und ein racherot geschminkter Mund. Mit einem Fünfzigmarkschein überrede ich die freundliche Klofrau, auf Miss Marple aufzupassen.

«Es dauert keine halbe Stunde. Ich muss da drinnen nur eine Kleinigkeit erledigen.»

«Bekommen Sie einen Preis?»

«So was Ähnliches.»

Wie gut, dass ich mir mein Leben lang zu viel habe gefallen lassen. Harmlose, liebenswürdige, dämliche Amelie Puppe Sturm. Alles, was sich in zweiunddreißig Jahren an Wut angesammelt hat, darf heute Abend auf einen Schlag raus. Happy Birthday, Puppe.

Der Countdown läuft.

Durchatmen.

Auf in den Kampf. Kann nicht verlieren. Habe ich längst.

21:05

Ich trete durch eine Seitentür in den Zuschauerraum. Ich sehe bekannte Gesichter. Cherno Yobatai, der Depp, sitzt ganz am Rand. Turnschuhe an den Füßen, so rot wie der Arsch eines Pavians. Keine Ahnung, warum sie den hier reingelassen haben. Oliver Geissen sieht aus, als sei er gerade erst aufgestanden, und Harald Schmidt ist zwischen Heike Makatsch und Bastian Pastevka eingenickt. Verständlich, denn auf der Bühne, vor einem riesengroßen goldenen Bambi, singt gerade Phil Collins sein neuestes Schlaflied. Fast setzt bei dieser Musik sogar bei mir so was wie Entspannung und Langeweile ein.

Aber nur fast.

Ich habe Philipp entdeckt!

Er sitzt in der ersten Reihe, eingerahmt von zwei Blondinen: Thomas Gottschalk und Bente Johannson. Neben Bente sitzt Julius Schmitt, dann kommen Xavier Naidoo und Tom Cruise.

Na toll, Bülow, da bist du ja am Ziel deiner Wünsche. Deine nominierte Flamme neben dir und in einer Reihe mit deinem Lieblingssänger und dem Schauspieler, dessen Text aus «Mission Impossible» du teilweise auswendig kannst.

Mir klopft das Herz in den Ohren. Schweißperlen laufen mir den Rücken runter. Ich bin versucht, meinen Hund zu holen und nach Hause zu fahren. Aber meine Füße bewegen sich nicht, und mein Blick löst sich nicht von dem Paar, das doch keines sein sollte.

Wenn ich jetzt tot umfallen würde – es würde mir nicht Leid tun.

21:07

Der Applaus holt mich zurück aus meinem fernen Kummerland. Frauke Ludowig überreicht Phil Collins einen Blumenstrauß, gibt ihm zwei Luftküsse und kündigt den nächsten Auftritt an:

«Meine Damen und Herren, noch nie hat eine Nominierung für mehr Aufsehen gesorgt. Welche Sendung wird heute Abend zum innovativsten Fernsehformat des Jahres gekürt? Die Antwort verrät Ihnen unser nächster Gast. Bitte begrüßen Sie die einzigartige, die unvergleichliche Verona Feldbusch!»

Blöde Spinatwachtel mit unnatürlich guter Figur. Ich kenne Frau Feldbusch nicht, aber ich kann sie trotzdem nicht leiden. An manchen Vorurteilen hängt man eben wie an alten Stofftieren.

Verona öffnet umständlich das Kuvert und kichert noch ein wenig: «Meine Damen und Herren! Der Bambi für das innovativste TV-Format geht an ... ‹Der Eisprung deines Lebens›, moderiert von Bente Johannson!»

Aaargh! Auch das noch. Bin kurz vor der Explosion. Erst hat sie sich meinen Mann, und jetzt auch noch einen Bambi unter den Nagel gerissen. Beides unverdient. Schwedisches Flittchen. Während Bente triumphierend die Stufen zur Bühne hoch schreitet, begleitet von Applaus und Buhrufen, gehe ich langsam nach vorne.

Verona überreicht Bente das goldene Reh.

«Und, liebe Bente, freust du dich über den Preis, auch wenn ihn dir anscheinend nicht alle hier gönnen?»

«Ach, Darling, ich finde, ich habe mir meine Neider ehrlich verdient.» Bente lacht wie ein Lachsack.

Ich starre auf ihr Schlauchkleid, auf ihre langen, schlanken Arme. Ihre langen, schlanken Beine. Ihren langen, schlanken Hals. Und selten kam ich mir so kurz und dick vor. Leider steigen mir Tränen in die Augen, und nur der intensive Gedanke daran, wie unvorteilhaft ich bei meinem großen Auftritt mit verschmierter Wimperntusche aussehen würde, bewahrt mich davor, schluchzend zusammenzubrechen.

In einer Stunde kann ich heulen, so viel ich will. Aber jetzt wird diese Geschichte hier mit Stolz und Haltung zu Ende gebracht.

Bente setzt zu ihrer Dankesrede an.

«Thank you, Verona. Und thank you auch der Jury und meinem Produzenten und meinen Eltern, die immer an mich geglaubt haben. Aber am meisten danke ich meinem Lebenspartner. Denn heute beginnt für mich und ihn eine neue Zeitrechnung. Dieser Preis gehört auch dir, Doktor ...»

Ein hohes Quieken lässt die Zuschauer zusammenzucken. Verona Feldbusch greift sich an den Kopf und flieht hinter die Bühne.

Und ich verfluche zum wiederholten Male, dass ich so schlecht zielen gelernt habe.

Aber irgendwie, denke ich, treffe ich trotzdem immer die Richtigen.

Montag, 5:30

Ich habe einen schlechten Charakter und eine gute Figur. Ich kann gut einparken, und noch besser kann ich «Nein» sagen. Ich bin nur eins sechzig groß, aber ich schaue schon lange zu keinem mehr hoch. Jeder ist so groß, wie er sich fühlt. Und man fühlt sich größer, wenn man runterguckt. Ich habe einen schlechten Charakter und eine gute Figur ... Es ist kurz nach halb sechs ... Es ist Montagmorgen ...

Es war nur ein Traum ...

Nur ein Traum ...

5:35

Manchmal, wenn ich aufwache so wie jetzt, dann fühle ich mich gestärkt durch einen Traum. Ich kann mich nicht genau erinnern, aber es bleibt das Gefühl eines guten Gefühls. In den wenigen Minuten zwischen Nacht und Tag, in denen alles möglich ist, habe ich manchmal das Gefühl, ich könnte mich neu entscheiden.

Ich mache die Augen auf. Sie gewöhnen sich langsam an das Halbdunkel, und je mehr die Welt um mich herum wieder Konturen bekommt, desto mehr lichtet sich

der Traumnebel in meinem Kopf, und ich bin nicht mehr die, die ich sein könnte, sondern die, die ich bin.

Amelie Puppe Sturm. Die dümmste Pute auf der Welt und der Star der Bambi-Verleihung.

Die Erinnerungen an den vergangenen Abend kommen langsam wieder.

Nun gut, meine Sandalette hatte bedauerlicherweise nicht Bente, sondern Verona Feldbusch am Kopf getroffen. Aber durch solch kleine Unvorhersehbarkeiten wollte ich mich von meinen Rachegelüsten nicht abbringen lassen. Ich schoss auf Philipp zu – so schnell das auf einem Schuh eben ging –, baute mich vor ihm auf – so imposant das mit ein Meter sechzig möglich ist –, und sah ihn an.

Die letzten beiden Tage liefen in meinen Kopf ab wie ein schauderhafter Kurzfilm: Sansibar. Kein Sex mit Oliver. Mein Ring, aufgefressen vom Briefkasten. Julius Schmitt. Die «Bild am Sonntag». Der Schmerz, der die ganze Zeit mein Beifahrer war. Und Miss Marple, die in der Obhut einer Klofrau darauf wartet, dass ich das hier endlich hinter mich bringe.

«Puppe?»

Philipp schaute mich mit einem Blick an, den ich nicht verstand. Schlecht sieht er aus, dachte ich. Unrasiert, dunkle Ringe unter den geröteten Augen, und der schwarze Anzug saß überhaupt nicht.

Im Hinterkopf registrierte ich noch, wie Kameras auf mich gerichtet wurden.

Ich hob die Hand im Zorn – und dann verließ mich die Wut.

In diesem Moment sprach Bente Johannson, von allen Anwesenden völlig vergessen, weinerlich ins Mikrophon. «Pippi, spinnst du? Was ist denn los?» Sie sah erbärmlich aus da oben. Das goldene Reh so verkrampft in beiden Händen haltend, als fürchte sie, dass es ihr jemand wieder wegnehmen könnte.

Ich drehte mich Richtung Bühne und holte tief Luft: «Was los ist, Bente? Du hast mir meinen Mann weggenommen, und das gehört sich nicht. Das ist los! Und nenn mich gefälligst nicht Pippi, du dumme Nuss!»

Bente begann zu taumeln. Jemand schrie: «Kamera zwei auf die Johannson! Totale!»

Ich sah, dass ihr Tränen in die Augen schossen. Sie starrte jemanden an, der offensichtlich hinter mir stand. Und dann verstand ich die Welt nicht mehr, als sie sagte: «Julius? Du hast auch mit ihr ...? Wie konntest du mir das antun?» Bente brach schluchzend in die Knie. Die mediale Unsterblichkeit war ihr damit gewiss.

Julius eilte zu ihr auf die Bühne und rief: «Das ist ein Missverständnis!»

Philipp nahm meinen Arm: «Puppe, spinnst du jetzt völlig?»

«Wieso? Wie meinst du das?»

Wieder schrie jemand: «Kamera eins! Ich will die drei da als Großaufnahme haben!»

«Puppe, ich weiß ja nicht, was du dir zusammenspinnst. Aber ich bin unendlich froh, dich zu sehen.»

«Hast du mich mit Bente betrogen?»

«Natürlich nicht.»

«Warum nicht?»

«Wie kommst du denn auf so was? Bente ist seit einem Jahr mit Julius zusammen. Seit heute sogar offiziell.»

Ich hörte mich was von Mailbox und «Bild am Sonntag» stammeln. Mir war zwar plötzlich alles klar, aber so schnell kann sich die Seele nicht umstellen von Unglück auf Glück, von Wut auf Liebe von Tragödie auf Happy End.

Natürlich. Julius. Promi-Anwalt. Der seine Frau nicht mehr liebt. Dessen Leben in Unordnung geraten ist. Bente, die ihn zwingt, sich zu ihr zu bekennen, und die ihrem Vertrauten Philipp ihre Entscheidung auf seine Mailbox spricht.

«Woher hast du überhaupt einen Anzug?»

«Geliehen.»

«Übernimmt meine Haftpflicht den Schaden?»

«Ich denke schon.»

«Liebst du mich noch?»

«Ich fürchte ja.»

Während wir uns total ergriffen anschwiegen, ging Xavier Naidoo ans Mikrofon und sang. Weil er alles verstanden hat. Dass es hier um Liebe geht. Und um Schmerz. Und dass es nochmal gut gegangen ist.

Sag es laut
Wenn du mich liebst
Sag es laut
Dass du mir alles gibst
Sag es laut
Dass ich alles für dich bin
Sag es laut
Denn danach steht mir der Sinn.

Und dann verschmierte doch noch meine Wimperntusche. Tom Cruise stand auf, klatschte Beifall und schaute mich an, als sei ich der Star in einem Hollywoodfilm. Na, der wird zu Hause ganz schön was zu erzählen haben, der Tom.

Ich werde immer hören
Was dein Herz zu meinem sagt
Vor tausend Engelschören
Hab ich dich gefragt.

Den Rest des Abends erlebte ich wie im Kino. Auf einer großen Leinwand schaute ich sprachlos zu, wie Amelie Puppe Sturm ihren Geburtstag, ihr Happy End und ihre große, neue, alte, wiedergewonnene, obwohl nie verlorene Liebe feiert. Nach der Bambi-Verleihung sehe ich sie Arm in Arm mit Philipp durch das nächtliche Berlin gehen. Er im geliehenen schwarzen Anzug, sie im zerknitterten Strandkleid. An jeder Straßenecke bleibt sie stehen, um ihn anzufassen, um sicherzugehen, dass sie sich aus einem Albtraum nicht in einen schönen Traum geflüchtet hat. Sie gehen zu Fuß bis nach Hause. Er schließt die Tür auf, trägt sie über einen großen Haufen Anzüge und nimmt ihr Gesicht beim Einschlafen in beide Hände. Und säße ich tatsächlich im Kino, ich würde meine Nachbarin jetzt um ein Taschentuch bitten.

5:48

Gleich beginnt das Leben wieder. So wie es war. Und so war es ja auch gut. Obwohl, gegen ein bisschen Aufregung und Abwechslung ab und zu habe ich nichts einzuwenden.

Schön waren sie wirklich nicht, die letzten beiden Tage. Aber unvergesslich. Und was ist schon unvergesslich im Leben?

In den wenigen Minuten zwischen Nacht und Tag lohnt es sich, innezuhalten. Nach dem Schlafen, vor dem Wachsein. Und dann vielleicht ein Lied zu summen.

Sag es laut
Dass ich alles für dich bin
Sag es laut
Denn danach steht mir der Sinn.

Und dann wecke ich meinen Liebsten. So, dass er denkt, er sei von alleine aufgewacht.

Und das ist kein Film.

Das ist mein Leben.

Guten Morgen!

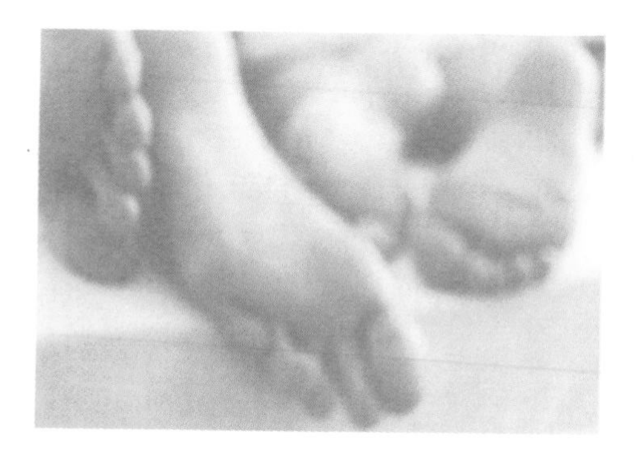

Ildikó von Kürthy
Mondscheintarif

Sie findet sich nicht schwierig, sondern interessant. Ihre beste Freundin hat die größeren Brüste – und ist trotzdem ihre beste Freundin. Cora Hübsch ist 33. Alt genug, um zu wissen, dass man einen Mann NIEMALS nach dem ersten Sex anrufen darf. Also tut sie das, was eine Frau tun muss: Sie wartet. Auf seinen Anruf. Stundenlang. Bis sich ihr Leben verändert. Zum Mondscheintarif.

«Sagen Sie alle Verabredungen für den Abend ab. Legen Sie sich in die Badewanne und lesen Sie. Sie werden die Zeit vergessen und schließlich völlig begeistert – und völlig verschrumpelt – aus der Wanne steigen.» (Suzanne von Borsody)

«Ich musste nachts eine Schlaftablette nehmen, weil Lachzwang mich am Einschlafen hinderte.» (Wolfgang Joop)

«Die Lektüre ist von der ersten bis zur letzten Zeile ein Vergnügen. Jeder Satz ist eine Pointe.» («Hamburger Morgenpost»)

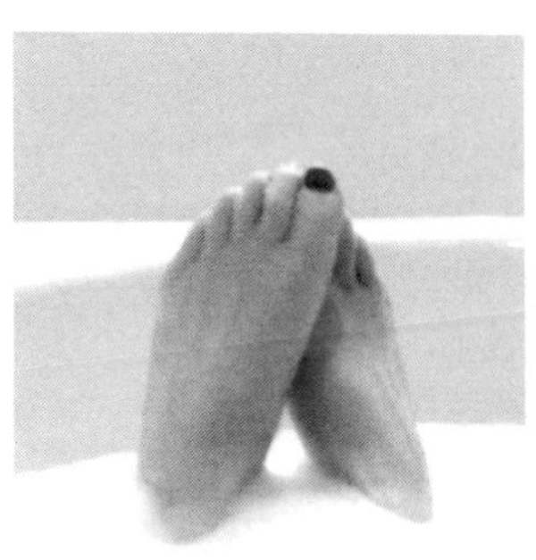

ISBN 3 499 22637 5

Die weibliche Problemzone heißt Mann

**»Hera-Lind-Hasser aufgepasst:
Dieser Frauenroman ist
geistreich, voller Witz und
selbstkritischem Spott. Ein Buch, das auf
jeder Seite Spaß macht.«** *MAX*

Ildikó von Kürthy
Mondscheintarif
mit Ulrike Grote, Catrin Striebeck,
Aglaia Szyszkowitz und Stephan Benson
Gekürzte Fassung - Hörstück
2 CDs, ca. 100 Min.;
8-seitiges Booklet,
€ 20,95(D), € 21,60(A)
SFr 38,90
ISBN 3-455-30272-6
(Unverbindliche Preisempfehlung)

HOFFMANN UND CAMPE 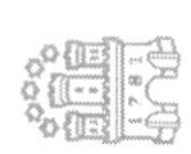 HÖRBÜCHER

www.hoffmann-und-campe.de

Durch dick und dünn

Mit **rororo** durch dick und dünn: Wohlmeinende Ratschläge helfen selten, Diäten sind immer anstrengend und führen fast nie zum Erfolg – der Grund dafür ist: Es gibt keine Patentrezepte für Frauen, die mit ihrer Figur unzufrieden sind. Aber es hilft schon viel, wenn wir die Kalorienzählerei einfach nicht so ernst nehmen, uns akzeptieren, wie wir sind. Ein flacher Bauch ist nur selten ein Garant fürs Glück, und wenn wir eines wissen sollten, dann dass wir ziemlich klasse sind.

Francesca Clementis
Big Girls Don't Cry *Roman*
(22842)
Marina hat ihr ganzes Leben damit verbracht abzunehmen. Leider ohne Erfolg. In ihrer Verzweiflung unterzieht sie sich einem einjährigen Test. Eine Wunderpille soll erprobt werden. Sie hilft: Marina verliert ihre Pfunde, wird selbstbewusster, steigt beruflich auf, und die Männer stehen plötzlich Schlange. Doch ihre Veränderung ist nicht nur positiv ...

Gudrun Reher
Megaperlen *Von der Lebenslust der pfundigen Frauen*
(22924)
Trotz Schlankheitsideal und Diätmanie – immer mehr dicke Frauen finden sich so, wie sie sind, schön. Schließlich hat das Leben mehr zu bieten als den Kampf gegen die Pfunde. In Alltagsgeschichten erzählen Frauen, wie sie gelernt haben, mit ihrem Übergewicht ein glückliches Leben zu führen.

rororo Unterhaltung

Kathrin Tsainis
Dreißig Kilo in drei Tagen
Roman
(22925)
Vicky ist nicht dick, aber sie fühlt sich fett. Sie liebt Pralinen, bereut aber jeden Bissen. Sie hätte gern wilden Sex mit ihrem neuen Schwarm, traut sich jedoch nicht, ihn anzumachen. Und eines weiß Vicky ganz genau: Ihr Leben sähe ganz anders aus, wenn ihr Bauch flacher wäre, ihre Beine straffer und ihr Hintern kleiner. Abnehmen ist angesagt. Egal, wie. Hauptsache, schnell fünf Kilo runter. Mindestens! Denn dann kommt das Glück von ganz allein. Oder nicht?

Weitere Informationen in der **Rowohlt Revue**, kostenlos im Buchhandel, und im Internet: **www.rororo.de**

3763/2